光文社文庫

セシルのもくろみ

唯川　恵

光　文　社

目次

セシルのもくろみ

1

テラスに面したソファに腰を下ろし、奈央《なお》はフレーバーティーを飲んでいる。今日はローズヒップとアプリコットのミックスだ。

窓からは春の陽光が溢れんばかりに差し込み、少し汗ばむくらい暖かい。

ここは永代橋《えいたいばし》に近い高層マンション。

夫と息子を送り出し、掃除と洗濯を済ませた後、三十二階にある自宅から、こうして窓の向こうに広がる風景を眺めながらお茶を飲むのが奈央の日課である。

この辺りはかなりの数の高層マンションが建ち並んでいるが、うまい具合に奈央の住む部屋は視界を遮られることはない。銀座と大手町、それから皇居の森も少し見える。何より、快晴の日は富士山を望むことができる。

窓の向こうに見えるさまざまな形のビルや、華やかな広告、ミニカーにしか見えない車、道行く人々は、まるでジオラマのようだ。

奈央はゆったりお茶を味わっている。

そして思う。

今の暮らしは「幸せ」と呼ぶにふさわしいものだと。

そんなセリフを口にしたら傲慢《ごうまん》だと眉を顰《ひそ》められるかもしれない。逆に、奈央の持っていないものをたくさん手にした女たちには呆れられるかもしれない。

でも、本当にそう思っている。自慢でもなく、強がりでもなく、それが素直な感覚だ。

三歳年上の夫、伸行《のぶゆき》は四十一歳で、大手自動車メーカーでエンジニアをしている。

学生時代に知り合って、そのまま付き合いを続けて、奈央が卒業した二年後に結婚した。ずいぶん早く決めちゃったのね、と皮肉交じりに言う友人もいたが、奈央はもともと家でこまごましたことをするのが性に合っていたし、何より、伸行が好きだった。たくさんの男たちと付き合って、選りすぐってひとりを選ぶ、という方法もあるかもしれないが、最初に出会った男が最高なら、結婚を後回しにする必要などないはずだ。

その頃、銀座にある画廊の受付をしていたが、迷うことなく辞めて、伸行のプロポーズを受け入れた。

結婚して一年後に授かった息子の智樹《ともき》は、もうすぐ十三歳になる。春から私立中学に通うようになった。かなりの競争率だったから、合格の通知を貰った時は本当に嬉しかった。もちろんいちばん大変だったのは本人だが、塾への送り迎え、夜食の用意と、奈央も同じくらい頑張った。

小さい頃は喘息《ぜんそく》の気《け》があって、真夜中に何度も病院に駆け込んだりしたが、今はそんなことが嘘だったかのように健康になった。中学に入ってからは、部活の剣道に夢中で帰りは毎日七時を過ぎる。

親馬鹿だと笑われるのを承知で言ってしまおう。智樹はいい子に育ってくれた。もちろん、時には反抗もされるが、根は優しくて甘えん坊だ。やんちゃをしても、決して乱暴にはならず、どこかおっとり感が抜けない。それらは伸行の性格を受け継いだのだろう。

お茶を飲み干し、二杯目を注ぎにソファを立った。キッチンにはなるべく物を置かないようにしている。ポットも専用の棚に収納しているくらいだ。ティーポットからお茶をカップに入れて、またソファに戻ると、空を銀色の飛行機が横切って行った。

このマンションに引っ越して来て八年になる。

築七年の中古だったし、七〇平米の２ＬＤＫと三人家族ではやや狭く、その上予算も少しオーバーしていたが、目の前の景色を見た瞬間、奈央はここに決めた。この開放感は何ものにも代えがたかった。

結婚してからずっと荻窪《おぎくぼ》の社宅に住んでいた。そこは集合住宅になっていて、当然だが同じ会社の家族が住み、気を遣うばかりの毎日だった。外出するにしても、洗濯物を干すにしても、換気扇を回すのさえも、気を遣わなければならず、社宅を出られた時は心底ほっとした。あの時は、窮屈さから解き放たれて、やっと自由を手に入れたような気分になったものだ。

そして今、智樹が中学に進学したことで自分の時間が増え、さらに自由は広がった。

さあ何をしようか。

と、奈央はお茶を飲みながら、まるで自分が新入生になったような気分で考える。

したいことはたくさんあった。子供の頃に習っていたピアノを再開してみたい。前々から興味のあった油絵を始めるのもいい。バレエにも挑戦してみたいし、本格的に中国茶を勉強したいという思いもある。

そんなことをぼんやり考えていると、テーブルの上で携帯電話が鳴り出した。

画面には樋口文香《ひぐちあやか》と出ている。

「もしもし」

「あ、私よ。ねえねえ、この間は楽しかったわね」

文香の華やかな声が耳に広がった。

「ほんと」

先週、大学の同窓会が開かれたのだ。女子大なので、教授を除いて全員が女性である。

三十八歳になる、そう若くはないが、もちろん老いてもいない女たちが三十人ばかりも集まっただろうか。その中には、奈央や文香のような専業主婦もいれば、共働きをしている女性もいる。もちろん、独身のまま仕事をばりばりしている女性もいる。

美人で評判だった友人がものすごくおばさんになっていたり、いちばんお嬢さま育ちだった友人が起業して社長になっていたり、会場となったレストランは、十五年ぶりの再会を喜ぶ嬌声と、同時に、驚きに包まれていた。

「ねえ、急なんだけど、午後から時間ない？」

「どうしたの？」

「あの時、ゆっくり話せなかったでしょう。何だか物足りなかったの。そっち方面に出るからお茶でもどうかなって」

「いいわよ」

奈央は答えた。こんなふうに気楽に受けられるのも、自由になれた証《あかし》である。

「よかった、じゃあ二時半に」

汐留《しおどめ》のオープンカフェで会う約束をして、電話を切った。

それから慌てて寝室に向かった。家を出るまで四十分しかない。今日はどこにも出掛けないつもりだったので、髪も簡単にブローしただけだ。鏡台の前でホットカーラーをセットして、髪に巻いてゆく。肩より少し長い髪はゆるいウェーブがほどよくかかる。

カーラーを巻いたまま、今度はクローゼットの扉を開けた。何を着てゆけばいいか。それはどんな時でも大問題だ。

文香とも同窓会が十五年ぶりの再会だった。学生時代はよく一緒に遊んだが、卒業後は何となく疎遠になっていた。別にこれといった理由はなくて、それぞれ自分の暮らしに夢中になっていたということだ。

彼女はあの頃から綺麗で評判だった。街でスカウトされたことも何度かあったはずだ。結婚して子供もいるのに、美貌もスタイルもまったく変わっていなかった。いや、大人の女の雰囲気を備えた分、更に綺麗になったように思う。シンプルなブラウスとパンツというファッションも洗練されていて、さりげなく手にしたクロコのバッグと、左薬指の大きく洒落《しやれ》たデザインのダイヤの指輪が、周りの注目を集めていた。

さすがに、ご主人が弁護士だけのことはある。裕福な暮らしが、服や持ち物から透けて見えていた。

そんな文香と対抗しようなんてつもりはないが、少なくとも「センスよく」ありたいと思う。結局、カシミヤの明るいグレーのカーディガンに、母から譲り受けた一連真珠とプラチナのネックレスを重ね着けして、ボトムスは裾の揺れるスカートに決めた。

カーラーを取り、指先でざっと髪を崩す。空気を孕《はら》んで、ふんわりしたカールが決まり、奈央は嬉しくなった。

汐留のオープンカフェで、文香はやはり目立っていた。

この辺りはオフィスビルが建ち並んでいて、こんな時間でも、首からIDカードをぶら下げたサラリーマンがお茶を飲んでいる。彼らが奥の席に座る文香に、ちらちらと視線を送っているのがわかる。

「お待たせ」

奈央は向かいの席に腰を下ろし、ラテを注文した。

「ごめんね、急に呼び出したりして」

文香は長い睫毛《まつげ》に縁取られた目で、ゆっくり瞬きした。

「いいのよ、今日はどうせ夕食のお買い物をするぐらいだったから」

「この間、息子さんが中学に進んで、暇になったって言ってたでしょう。だから、いいかなって」

「そうなの、やっと子育てから解放されたって感じ。文香のところは、娘さんが小学四年生だから、あと少しね」

「でも、うちは幼稚園から私立に入れちゃったでしょう。だからもう受験の心配はないし、主人の母がすぐそばに住んでいるから、よく預かってもらえるの」

奈央は思わずため息をついた。

「いいわねえ、恵まれてて」

「そんなことないわよ。その分、義母《はは》にはプレゼントしたり、これでも気を遣ってるのよ」

伸行の両親は国分寺《こくぶんじ》に住んでいるので、そうしょっちゅう顔を合わすわけではない。その点では頼りにもできないが、気楽でもある。

「あのさ、この間の同窓会の後、私、いろいろ考えさせられたわ」

文香の言葉に、奈央は改めて顔を向けた。

「考えたって、何を？」

「女の人生って、ほんと、いろいろだなって。ほら、最終的には三つのグループに分かれちゃったじゃない。私や奈央みたいな専業主婦組と、共働き組と、独身組」

「ああ、そうだったわね」

奈央はラテを飲みながら頷いた。

確かに、始まった直後は誰もが和気《わき》藹々《あいあい》と昔話に花を咲かせていたのだが、少しずつ互いの状況が知れると、微妙に意識しあうようになった。いや、牽制しあった、と言った方がいいかもしれない。

「独身組のひとりから、私、何て言われたと思う？『自分の欲しいものを買うにも、いちいちダンナさまからお金を貰うなんて、私にはとてもできない』ですって。失礼しちゃうわね」

文香が口を尖らせて言ったので、奈央は苦笑した。

「でも、まあ、確かにその通りだから」

「他人のことは放っておいて欲しいわ。だいたい、彼女がどれだけ仕事が出来るか知らないけど、顔に険があるっていうか、ぎすぎすしてるっていうか、何だか痛々しい雰囲気があったじゃない。結局、働かなくても食べてゆける私たちみたいな専業主婦に嫉妬しているのよ。これがもし、生活に疲れてる主婦だったら、彼女のプライドも傷つかなかったんだろうけど、ほらバッグも靴も私の方が勝ってたから、きっと頭に来たんでしょうね」

文香の言葉は辛辣《しんらつ》で、奈央は思わず首をすくめた。そこまで強烈ではないにしても、似たようなことを奈央も感じていた。と言うのも、奈央も「いいご身分ね」と皮肉たっぷりに言われたからだ。

「それから共働き組。彼女たちにもしっかり言われたし」

「何て？」

「社会に繋がってなくて不安じゃない？　って」

「ああ……」

奈央はまたもや小さく息を吐く。

「でも、それってただの格好つけよね。結局のところは経済的な問題に決まってる。私は共働きなんてまっぴらごめんよ。朝は夫と子供に慌ただしくご飯を食べさせて、その間に洗濯機を回して、子供を預けて、化粧もそこそこに仕事場に向かって、仕事が終わったらスーパーに飛んでいって、子供を迎えに行って、夕食作って、後片付けして、疲れてお風呂に入るのも面倒になるんじゃないかしら。夫が協力的だ、なんて言ってた人もいたけど、たかだか朝のごみ捨てぐらいのことでしょ。掃除が行き届かなくて家の中はぐちゃぐちゃ、洗濯物は畳むのが面倒だから乾いた順に着てゆくの。ああ、もう想像がついちゃう。何よりも共働き組がいちばん老け込んでいたじゃない。それが証拠よ」

奈央は返答に詰まりながら、ラテを口に運んだ。

人の幸せはそれぞれだから、そこまで言うつもりはないが、だからといって、独身組や共働き組を羨《うらや》ましく思ったかと言えば、それもない。というより、とても自分にはできないと思う。夫も子供も持たず、ひとりバリバリ仕事をするなんて、そんな才能はまったくないし、夫や子供がいても、仕事をしながら家事もこなすなんて、体力的に無理に思える。

「でも、ちょっと悔しい気持ちもあるんだ」

「何が悔しいの？」

奈央はラテのカップを置いた。

「私たちみたいな専業主婦って、すぐ揶揄《やゆ》の対象になるでしょう。呑気《のんき》で世間知らずで、まるで頭が悪いって言われてるみたい。だから、私も何か始めようかって思っちゃった」

「えっ、お勧めするの？」

「まさか」

文香は大げさに首を左右に振った。

「習い事？」

「それもいいんだけど」

言いながら、文香は意味深な仕草でイヤリングに触れた。

「ねえ『ヴァニティ』って雑誌、知ってる？」

「もちろん」

奈央くらいの年代に人気の女性雑誌だ。毎月というわけではないが、奈央も時々、購入している。

「実はね、この間、『ヴァニティ』を見てたら読者モデルを募集してたのよ。でね、ちょっと応募してみようかなぁ、なんて」

「モデルになるの！」

奈央は思わず声を上げた。

「だから読者モデルよ」

まじまじと文香を眺めてしまう。そして、文香なら十分に条件を満たしていると思う。綺麗だし、スタイルもいい。ファッションはもちろんだが、メイクもヘアも決まっている。さすがに夫が弁護士だけあって、持ち物もセンスがよくて、高級品ばかりだ。

「文香ならなれるって」

お世辞でも皮肉でもなく、奈央は言った。

「そうかしら」

満更でもなく、文香が唇を緩ませる。

「当たり前よ。ほら、道路に近いテーブルに座ってるサラリーマン、さっきからずっと文香のこと見てる。やっぱり目立つのよ」

文香はちらりと目を向けて、くふくふ笑った。

「採用されたら、少ないらしいけど、ギャラも出るんですって。上手くいけばレギュラーのモデルになれる可能性もあるらしい。別にそこまでなる気はないけど、何だかちょっと面白そうじゃない。働いているって気分も味わえるし」

「そうね」

「それでね」

文香がバッグから何やら用紙を取り出した。

「エントリー用紙、奈央の分も貰っておいたから」

「え？」

奈央はきょとんと文香を眺めた。

「ね、一緒に受けてみましょうよ。遊びみたいな感覚でいいの。正直言うと、私ひとりだとやっぱりちょっと心細いの。だから、ね、いいでしょう」

文香は満面の笑みで言った。

2

女性誌『ヴァニティ』の出版社は音羽《おとわ》にある。面接の会場となった社のホールには、二十人ばかりの女性が集まっていた。そこに足を踏み入れたとたん、奈央は気後れした。いかにも場違いな服を着ている自分に恥ずかしくなった。

あれから、あれよあれよという間に文香はさっさと二人分をエントリーし、驚いたことにそれが書類選考を通過してしまったのである。まさか通るなどと考えてもいなかったので、心の準備は何もできていない。それでも、面接の連絡を貰ってから、テンションはすっかり上がり、何を着ていけばいいのか迷いに迷うことになった。結局、デパートでワンピースを購入した。形はシンプルだが、深いオリーブグリーン色が洒落ていた。五万七千円は痛くても、それくらい奮発しなければと思い切った。それに手持ちの淡いオレンジ色のスカーフを首に巻いたのだが、周りに較べると、どう見てもＰＴＡファッションだ。

「奈央、こっちよ」

前の方のテーブルから、文香が手を挙げた。どうやら席を確保しておいてくれたらしい。

「遅かったじゃない」

「地下鉄を出たら道に迷っちゃって」

文香は今日も決まっている。デニムに合わせた革のライダースジャケットは、もちろんブランドものだろう。文香は何も言いはしないが、奈央の格好を見て、内心では「ダサいわね」と思っているに違いない。

選考会といっても、堅苦しさはなく、テーブルには飲み物と、チョコレートやマカロンといったスイーツが置かれている。みな華やかな服をまとっているせいもあって、ちょっとしたティーパーティのようだった。

しばらく身をすくませていたが、ここまで来たのだから、この幸運なひと時を楽しもうと奈央はようやく開き直った気持ちになった。自分が場違いなのがわかるからこそ、ちょっと離れた場所から傍観できる。

あの人の持っているバッグは雑誌で見たことがある。あの人の時計の縁取りはダイヤモンド？　あのピンヒールでよく歩けるものね。あの睫毛はエクステかしら。どうして同世代なのにあんなにお肌がぴんとしてるの。

その中で、実は最も奈央の目を惹いたのは、編集部の女性スタッフの姿だった。年は奈央と同じくらいだろうか。こう言っては何だがさほど美人というわけではない。服もオーソドックスな濃紺のパンツスーツ、中はプレーンな白シャツだ。それなのにどこか違う。うまく言えないが、全身から働く女の躍動感のようなものが感じられる。その姿は、ここに集まっている女性たちとあまりに対照的で、不思議な気がした。

いや不思議と言えば、やはりここにいる自分だろう。文香からエントリー用紙を貰った時は、まさか書類選考を通るなんて思ってもいなかった。文香と較べても、身長こそ一六四センチとほぼ変わりないが、体重は確実に五キロ違う。足の長さもウエストのくびれもバストの大きさもぜんぜん違う。何かの手違いとしか思えない。だから、今日ここに来ることは夫にも、息子にも言ってない。言えば、笑われるか呆れられるかのどちらかとわかっていた。

「ねえ、あの人」

文香が斜め向かいのテーブルを目配せした。背中まである髪を華やかにウェーブさせた、ちょっと日本人離れした女性が座っていた。目鼻立ちもはっきりしていて、もしかしたらハーフなのかもしれない。

「私、見たことある」

「どこで？」

「ほら、いろんな女性誌でパーティファッションをやるじゃない。どこかのブティックがオープンしたとか、シャンパンの発表会だとか。そういうところで、常連みたいにスナップに収まってる人」

「文香ったら、そういうのもチェックしてるんだ」

「たまたま覚えてただけよ」

文香の口調にわずかに不機嫌さが加わり、奈央は慌てて話を戻した。

「さすがにきれいね」

「まあ、着てるものも持ってるものも、お金がかかっていることだけは確かよね」

それが文香の子供っぽい対抗心に思えて、奈央は内心で苦笑した。確かに、昔から文香にはそういうところがあった。百パーセントは相手を認めず、必ずひとつかふたつ難癖をつける。「足はきれいだけど、顔は大きい」とか「服のセンスはいいけど、化粧はお水っぽい」とか、そんな感じだ。

やがて正面に男性が現れた。

「みなさん、本日はお集まりいただきありがとうございます。編集長の南城《なんじょう》と申します」

マイクを手にして話し始めると、ホールに満ちていたざわめきが静まった。

長めの髪、ソフトな面立ち。たぶん夫の伸行より二つ三つ上だと思うのだが、さすがに女性誌の編集長ともなると、見た目も佇《たたず》まいも普通のサラリーマンとは違う。かといって崩れ過ぎているわけでもない。

「私どもの雑誌『ヴァニティ』はファッションやメイクだけでなく、女性としての生き方も含めて、読者の方々と共に向上してゆくことを目指しています。その一環として、このたび読者モデルを募集させていただきました。これから順次、面接をいたしますが、みなさまはどうぞリラックスなさって、ここでの時間をお寛《くつろ》ぎください」

いよいよ面接が始まった。みな和《なご》やかさを装いながらも緊張を隠せないでいた。

十番目くらいに文香が呼ばれた。「じゃあお先に」と、めずらしくぎこちない笑顔で出向いて行った。

文香が帰ってきたのは十分ほどしてからだ。今までは平均して五分ぐらいだったから長い方だ。そう言えばあのハーフ風美人も長かった。面接時間はひとつのバロメーターかもしれない。案の定、文香は頬を紅潮させながらも、自信に満ちて言った。

「何だか妙に話が弾んじゃって」

「どんな話をするの？」

「私の場合は趣味だった。だから、昔にボディボードやってて再開したいって言ったら、編集長も昔ハマってたんですって。それで、どの辺りの海に行ったかとか、そういうことで盛り上がったの」

スポーツはあまり得意な方ではない。バレエは習ってみたいが、今のところ思っているだけだ。スポーツが話題に上ったら困るな、などと考えていると「宮地《みやじ》さん」と呼ばれた。「奈央、頑張って」と、文香がエールを送ってくる。奈央は大きく頷いた。

こんな場に出るのはあまりに久しぶりで、すっかり緊張した。目の前に四人が座っていた。プレートには、南城彰《あきら》編集長、石田信也《いしだしんや》副編集長、会場で見た黒沢洵子《くろさわじゅんこ》デスクと山下航平《やましたこうへい》カメラマンと書かれている。

「宮地奈央です。よろしくお願いします」

奈央は頭を下げ、椅子に腰を下ろした。

「写真と感じがちょっと違いますね」

黒沢洵子からいきなり言われ、奈央は思わずひやりとした。

「いい写真がなくて……」

「そうですか」

「実はそれ三年前のなんです」

追い詰められたような気持ちになって、奈央は告げた。

「規定で半年以内の写真を添付することと書いてあったんですが、どうにもいいのが見つからなくて……すみません」

四人とも苦笑している。奈央は顔を上げられなくなった。規定に違反したのだから落とされて当然だ。帰れと言われる前に席を立ってしまおうか、などと考えていると、南城編集長から質問があった。

「今日のファッションで何かこだわりはありますか？」

質問はスポーツではなかったが、これも難しい。自分らしさを出すためとか、少し華やかさを出したくてスカーフをプラスしたとか、そういうことを言えばいいのだろうか。

「ブローチが」

ふと、口をついて出た。出てしまったとしか言いようがない。四人の視線が奈央のスカーフに留めてある珊瑚《さんご》のブローチに集まった。

「このブローチは、結婚する時に母から譲られたものなんです。母もまた結婚する時に母親から譲り受けました」

「じゃあ三代に亘《わた》って受け継がれたブローチなんですね」

「そうなります。祖母は大正一桁生まれの人なんですけれど、とてもハイカラだったらしくて、パールのネックレスや小さなビーズバッグなんか、今見てもとても新鮮で、私はずっと愛用しています」

「確かに、ここから見ても凝った作りだとわかります」

「新しいものばかりでなく、よいものを長く使い続けてゆく、こだわりがあるとすれば、そういうことでしょうか……」

「なるほど」

面接を終えて部屋を出た。五分もたっていなかった。ほっとした気持ちと、しょうががないという思いがないまぜになっていた。もともと面接までこぎつけられたのがラッキーだったのだ。面白い経験をした。それでいいではないか。そう思うとようやく気が楽になった。


夕食はだいたい八時になる。

手の込んだ料理を作っても、智樹は味わうよりおなかを膨らますため、あっと言う間に食べてしまう。栄養のバランスを考えて野菜や魚を出しても、ちっとも喜ばない。リクエストは、カレーかハンバーグかとんかつと決まっている。伸行は外で済ませてくることが多い。だからはっきり言って張り合いがない。掃除や洗濯にしても、決して嫌いなわけではないのだが、毎日毎日同じことを繰り返しているだけでは退屈する。

あれから一週間が過ぎた。編集部からは何の連絡もない。落ちて当然と思っていながら、どこかで「もしかしたら」という期待を抱いていることに笑ってしまいたくなる。

やっぱり何か始めようか。

奈央はまた考え始める。ピアノか、油絵か、バレエか、中国茶。なのに気持ちが今ひとつ盛り上がらない。どれも色褪せて見える。

働くのもいいかもしれないな。

そんなことを考えるようになったのは、あの黒沢洵子という女性デスクを見たせいかもしれない。あの会場は、三十代後半といえども、美しい女性たちで溢れていたが、奈央が今も印象に残っているのは彼女だった。

週末、久しぶりに家族三人ですき焼きを囲んだ。

その場で「私が働くって言ったらどう思う?」と口にしてみた。反応はない。ふたりとも、テレビのサッカーに夢中になっている。

「あのね、働くって言ってるんだけど」

ようやく伸行が顔を向けた。

「何で働くの?」

「智樹にも手がかからなくなったし、新しいことを始めるチャンスかなって」

「無理だよ」

仲行はあっさり言って、ビールを口にした。

「そんな簡単に決めつけなくたって」

「じゃあ、何ができる？　何か資格があるわけじゃなし、働いた経験だってないだろ。雇ってくれるところなんてないよ」

「結婚前に二年間お勤めした」

「画廊の受付なんて、お勤めとは言わないの。それにあの頃は若いから、そこそこ重宝されたかもしれないけど、今、幾つだと思ってるんだ。甘いことを考えたら、痛い目に遭うだけだよ。働くって生易しいものじゃないんだから」

「そんなのわかってるわよ」

しかし、それ以上返す言葉が見つからなくて、今度は智樹に尋ねてみた。

「智樹はどう思う？」

テレビ画面を見たまま「どっちでもいい」との返事があった。智樹からすれば、食事の用意ができていて、剣道着の洗濯さえしてくれれば、あとはどうでもいいのだろう。

「ゴール！」はしゃいだ智樹の声が上がった。仲行も「やった、やった」と手を叩いている。奈央は息を吐き出した。夫と息子の反応は、ある意味、想像通りだったが、それでも腑に落ちない気持ちが残った。

さらに一週間が過ぎた。

さすがにもう「もしかしたら」の期待も薄れていた。習い事を始めようか、それとも働いてみようか、そんな思いも日常の中に埋もれて、またいつもの毎日が続いていた。

電話が鳴ったのは、そんな時だ。

「わたくし『ヴァニティ』編集部の黒沢と申します」

思わず心臓が跳ね上がった。

「あ、はい」

「宮地奈央さんでいらっしゃいますか」

「そうです」

「先日は、読者モデルにご応募いただきありがとうございました」

どちらなのだろう、合格？　不合格？　早く知りたい。でも、知るのが怖い。

「編集部内での会議の結果、読者モデルとして、宮地さんにぜひ『ヴァニティ』にご登場願えればと思い、連絡を差し上げました」

奈央は短く息を吸い込んだ。

「それは合格ということですか？」

「もちろんです」

嬉しさが一気に喉元にまでこみ上げて来た。

信じられない、信じられない。合格したなんて、読者モデルに採用されたなんて。

「ありがとうございます。よろしくお願いします」

「こちらこそ。どうか頑張ってくださいね」

電話を切った後も、しばらくうろうろと部屋の中を歩き回った。それから、慌てて電話を手にした。文香に知らせなければ。こうなったのも誘ってくれた文香のおかげだ。

「あ、文香、私よ。今、編集部から連絡があって、合格したって」

しばらく無言の時間があった。

「驚いてる？ 当然よね、私もまさか合格するなんて思ってもみなかったもの。ああ、どうしよう。私ったらすっかり舞い上がってる。文香のおかげよ。これからも、よろしくね。文香と一緒なら心強いわ」

「私、お断りしたの」

硬質な文香の声が耳に届いた。

え……思わず返答に詰まった。

「読者モデルなんて、ちゃんとした家の主婦がやることじゃないもの。持ち物を見せびらかして、自分を世間に露出して、何が楽しいのかしら。そう思わない？」

「だって文香……」

「私も最初は面白そうと思ったのよ。でも、よく考えてみたら下品そのものだって気がついたの」

奈央は黙った。

「奈央はやるの？　悪いことは言わないから、やめておいた方がいいって。後から聞いたんだけど、編集部から服とかバッグとか、いろんなもの売りつけられるらしいわ。いいカモにされるだけじゃない。奈央が言いにくいなら、私から断ってあげてもいいわよ」

「でも、せっかく合格したんだし……」

「あら、するの？　信じられない。後悔しても知らないから」

受話器を通して、文香の苛立ちが伝わってくる。奈央にだってわかる。それが文香の精一杯の強がりであり、皮肉であり、怒りであることぐらい。文香は選ばれなかったのだ。

「しばらくやってみて、それからやめるかどうか、決めようと思う」

「好きにすれば」

吐き捨てるように言って、唐突に電話は切られた。

「するわよ、私は好きにするわよ！」

奈央は切れた電話に向かって大声で言い返した。

3

意外なことに、夫の伸行も息子の智樹も、読者モデルの話をすんなり受け入れた。多少の反発はあるだろうと踏んでいたから、拍子抜けだった。

「へえ、君がモデルだって。何かの間違いじゃないの」

と、伸行は半分驚き半分呆れながらも、何となく口元が嬉しそうだ。智樹も「それ、何ていう雑誌？」と興味ありげだ。どうやら男というのは老若問わず「モデル」という単語に弱いらしい。

「ひと月に三、四回、行けばいいだけなの。夕方までには帰って来られるし、家のことには全然影響ないから。それに、少ないけどギャラも出るんですって」

「ま、やるだけやってみれば」

とにかく家族の賛同を得て、気が楽になった。

それから一週間ほどして、読者モデルの顔合わせと、紹介記事の撮影があると報せがあり、編集部に向かった。

採用されたのは三人。当然ながら、面接会場でいちばん目立っていたハーフ系美人もいた。あとの女性のことは覚えていなかったが、いかにもセレブ、いや由緒を感じさせるハイソな奥様然とした、やはりとても綺麗な女性だ。今日のために奈央なりに精一杯お洒落してきたつもりだが、やはり、ふたりと較べるとあまりにも落差がある。

会議室で南城編集長と石田副編集長、そしてデスクの黒沢洵子を交え、簡単な打ち合わせが行われた。

「そう硬くならずに、気楽にいきましょう。まずは自己紹介から始めましょうか」

緊張を解きほぐすように、編集長が立ち上がってにこやかに言った。

「じゃ、坂下《さかした》さんからお願いします」

「はい」と、席から立ち上がったのはハーフ系美人だ。長い髪を指先で掻き揚げる仕草も決まっている。

「坂下葵《あおい》と申します。正式には坂下グレース葵と言います。母がフランス系アメリカ人なので、こんな名前が付いていますが、どうぞ気楽に葵と呼んでください。年齢は三十九歳。今回『ヴァニティ』の読者モデルに選ばれて、とても光栄に思っています。夫は外資系のファンド会社に勤めておりまして、結婚十二年、娘がひとりいます。その娘も十歳になって、手もかからなくなったので、何か新しいことにチャレンジしてみたいと応募させていただきました。趣味は旅行とティラピス。せっかく選んでいただいたので、精一杯、頑張りたいと思います」

余裕の発言だった。さまざまなパーティのスナップ写真に収まっているくらいだから、場慣れしているのだろう。

「じゃあ次は小田《おだ》さん」

ハイソな奥様系美人だ。

「小田亜由子《あゆこ》、三十六歳です。まさか私が選ばれるなんて思ってもいなかったので、とても緊張しています。夫は外科医をしています。息子がふたりいて、上は中二、下は小六。やんちゃ盛りで、そんなふたりを毎日相手していますので自信があるのは体力ぐらいでしょうか。特技はスイーツ作り、趣味はフラワーアレンジメント。私なりに精一杯やらせていただきますので、どうぞよろしくお願いいたします」

亜由子はそのふんわりとした雰囲気で、人の心を和ませる。美しさの質も、華やかでゴージャスなイメージの葵とは正反対だ。指にはめた大きなダイヤのリングが輝いていた。

「では、宮地さん」

呼ばれて、奈央は慌てて席から立ち上がった。その拍子に椅子がガタガタと大きな音を立て、恥ずかしさで顔が赤くなった。

「宮地奈央です。三十八歳になりました。夫はごく普通のサラリーマンで、もうすぐ十三歳になる息子がいます。私が選ばれるなんて、今も何かの間違いじゃないかと思っているんですけど、こうなった以上、一生懸命やらせていただこうと思っています。趣味と呼べるようなものはなくて、何か始めたいと思っていたところでした。これをきっかけに世界を広げられたらいいなと思っています。どうかよろしくお願いします」

何とか言い終えた。心臓がばくばくした。

南城編集長が再び席から立ち上がった。

「はい、ありがとうございました。これからお三方には『ヴァニティ』を盛り上げるために力をお貸しいただくことになりますので、よろしくお願いします。では、あとはデスクの黒沢洵子に任せますので、みなさん、わからないことがあったら何でも黒沢に聞いてください。申し訳ありませんが、仕事が入っておりますので私たちはこれで」

そう言って、南城編集長と石田副編は退室して行った。後を引き継ぐように黒沢洵子が立ち上がり、淡々とした口調で言った。

「早速ですが、誌面での紹介用の撮影をしますので、スタジオに移動してください」

最初に会った時もそうだったが、彼女の素っ気なさは性格だろうか。

三人は会議室を出て、スタジオに向かった。

エレベーターを待つ間、奈央は葵と亜由子の背を眺めた。どんな時でもそうだが、人が集まれば順列が付く。この三人の場合、顔を合わせた瞬間に付いたと言えるだろう。雰囲気からしても坂下葵がナンバー1。本人もそれは自覚しているに違いない。ナンバー2は小田亜由子。絵に描いたようなハイソな奥様系の彼女は、たぶん順列を付けるなんて品のないことは考えていないだろう。そして当然、自分は三番目だ。そのことに悔しいなんて感情を持てるはずもなく、ふたりを見れば納得するばかりだ。

スタジオは雑然としていた。奥にライトやホリゾントという垂れ幕が掛かった場所があり、先日面接会場にいた山下航平カメラマンと、その助手が数人待機していた。

「山下さん、よろしくねっ」

と、葵が気楽にカメラマンに声を掛けたのでびっくりした。

「ああ、葵ちゃん、任せておいてよ」

カメラマンも親しげに返事をしている。葵がどこか誇らしげにこちらを振り返った。

「以前からの知り合いなの」

「へえ、そうなんですか」

奈央は感心しながら頷くばかりだ。

確かに、こういうタイプの女性はどこにでもいる。学校や会社や近所、ＰＴＡの会合などでも何度か見てきた。美人で社交的で、その上やたらと顔が広い。そしてそんな女性は大抵「私はあなたたちとは違うのよ」的オーラを放っている。葵ほどの美人なら当然かもしれないが、ますます気後れしてゆく。

「葵さんって、お友達が多いのね」

亜由子がにこにこ笑いながら言った。さすがハイソな奥様は天真爛漫だ。

撮影の前にメイク室に通された。鏡の前にはずらりと化粧品が並んでいる。ヘアメイクの担当が男性だったのでびっくりした。金色に近い短髪に日焼けした顔。大ぶりのピアス。四十は超えていると思うのだが、年齢がよくわからない。白シャツの胸のボタンを三つはずし、胸元にゴールドのネックレス。それにぴたぴたのデニム、蛇革のブーツ。

「安原《やすはら》トモです。よろしくね。美のカリスマと呼んでちょうだい」

オネエ言葉に一瞬唖然とするが、すぐに理解した。つまり、彼は、そういうことらしい。

「じゃあメイクお願いしますね」

黒沢洵子の言葉に、彼は「任せておいて」と胸を叩いた。それから順番に三人の顔を眺め、葵のところで目を留めた。

「ふーん、あなたが坂下葵さんね。面接で即決だったっていうだけあって、さすがに綺麗じゃない」

うふふ、と葵が笑みをこぼす。

「じゃ、まずはあなたから」

彼は葵を鏡の前に座らせ、奈央と亜由子には壁際の椅子で待つよう言った。

「ふーん、メイクもプロはだしね。ちょっと眉を直してテカリを抑えてグロスを塗るだけで十分。髪をアップにするとよさそうだけど、最初から飛ばし過ぎるのもね」

結局、ものの五分もかからずに葵のメイクは終了した。

「じゃ撮影にどうぞ。次はあなた」

指差されたのは亜由子だ。やはり、誰が見ても自分は三番目らしい。亜由子が座るやいなや彼が感嘆の声を上げた。

「まあ、綺麗なお肌。子供がふたりいるなんてとても思えないわ。基礎化粧品はどこのを使ってるの？　ええっ、あれなの。お高いでしょう。さすがお金持ちの奥様は違うわねえ。それにリングの石、もしかしてピンクダイヤ？　やだっ、やっぱりそうなの、こんな大きいの持ってるんだ、すごいわねえ」

奈央は困惑するばかりだ。やはり、自分がここにいるのは間違いだ。葵のような美貌もなければ、亜由子のようにハイソでもない、ただの平凡な主婦だ。顔もスタイルも、着ているものも持っているものも、特別なものは何もない。

帰りたかった。というより、この場から逃げ出したかった。あまりにも違いすぎる。自分なんかお呼びじゃない。やがて亜由子がメイクを終え、部屋を出て行った。

「じゃあ、次はあなたね」

奈央は仕方なく椅子から立ち上がった。鏡の前に座ると、彼はひとつ大きくため息をついた。その意味を考えただけで身がすくんだ。

「すみません」

思わず口から出ていた。

「あら、なんで謝るの？」

彼が目を丸くする。

「どうして私みたいなのがって、思っているんでしょう」

彼は苦笑した。

「あらあら、ずいぶん後ろ向きじゃない」

それから彼は、鏡の中の奈央を、右から左からと、じっくり眺めた。

「まあ確かに、読者モデルだとしても、今のあなたじゃレベルはかなり低いわよね」

いきなりストレートに言われ、更に落ち込んでしまう。

「でも、それは今のあなた。これからのあなたじゃない」

意味がうまく飲み込めず、奈央はゆっくりと目線を上げた。

「どうして、あなたが選ばれたかわかる？」

彼の言葉に奈央は首を横に振った。

「それはあなたが普通、ううん、それ以下だったからよ」

ますますどういうことか理解できない。

「編集長から何も聞かされてない？」

「はい……」

「あなたには、あのふたりとは別の企画があるの」

「企画って？」

「つまり編集部はこう考えたわけよ。誌面を飾るのが、ものすごい美人やお金持ちっていう、完成された女ばかり登場させたんじゃ面白くない。最初はダサい女だったけど、手を掛ければここまでいい女になる、そういうモデルケースを作ってみようじゃないのってね。もちろん、あなたにまったく素質がなかったら選ばなかったはずよ。つまり、そのダサい中にも可能性が感じられたってわけ」

奈央は何て答えていいのかわからない。褒められているのだろうか、けなされているのだろうか。

「これから外見も中身も、あなたはどんどん変身してゆくの」

奈央の表情は固まったままだ。

「そのためにも、まずは五キロ痩せなさい」

きっぱりと彼は言った。

「そのたるんだ顎のラインを引き締める。それだけで顔の印象はものすごく変わるから。今日は初回の撮影だからナチュラルメイクだけど、これから徐々に私のゴッドハンドでいい女にしてあげる。楽しみにしてらっしゃい」

そう言って、彼はニッと笑った。

とにかく疲れ果てていた。身も心もぐったり、という感じだった。

とても夕食に手を掛ける気になれず、帰りにスーパーで焼き肉セットを買ってきた。

テーブルにホットプレートや食器を用意し、ほっと息をつく。ふたりが帰ってくるまでにはまだ少し間がある。テラスの向こうの夕暮れに染まった景色を眺めながら、奈央はソファに身体を預けた。

笑顔を作ることが、あんなに難しいものだとは思わなかった。ライトを受けながら、カメラマンに「笑って」と言われて、自分では精一杯笑顔を作っているつもりなのだが「もっとリラックスして」とか「肩から力を抜いて」と何度も言われた。そんなことを繰り返しているうちに、自分が今どんな顔をしているのかもわからなくなった。顔全体が強張《こわば》って、時折、唇の端がぴくぴくと痙攣《けいれん》した。

ドア近くのテーブル席では、葵と亜由子が何やら楽しそうに話し込んでいるのが見える。すっかり打ち解け合っているようだ。

奈央の撮影が終わり、テーブルに行くと、葵から「今からお茶でもいかが？　青山に素敵なカフェがあるの」と誘われた。付き合いたい気持ちがないわけではなかったが、とてもそんな元気はなく、それに夕食の支度も気にかかっていた。

「ごめんなさい、また次の時にでも」

「あら、そう、残念。じゃあ亜由子さん、行きましょうか」

「そうね。今度は奈央さん、ご一緒しましょうね」

余計なお世話だが、ふたりは夕飯の支度をしなくてもいいのだろうか。

出版社のビルの前で別れた。地下鉄ではなく、当たり前のようにタクシーに乗り込んでゆくふたりを見ると、そういうところも自分とは違うのだと見せ付けられたような気がした。

とにかく読者モデル一日目が終わった。何もかもが初めての経験で、緊張ばかりの一日だったが、こうしていると、ささやかな達成感のようなものに包まれた。

「祝杯をあげようかな」

ふと、そんな気になった。何せモデルデビューの日である。仕事とは呼べないかもしれないが、帰り際に黒沢洵子から「ギャラの振込みをしますので」と、銀行の口座番号も聞かれた。もう専業主婦だけではなくなったはずだ。

「そうだ、去年のクリスマス用のシャンパンが一本残ってたっけ」

奈央はキッチンに行き、冷蔵庫の中を覗いた。それはドアの内側に醤油のボトルと並んでいた。

「あった、あった」

いそいそと手にして、ついでにチーズも取り出した。どうせならナッツとドライフルーツも一緒に、と戸棚を開いた。

――五キロ痩せなさい。

不意に、ヘアメイクの彼から言われた言葉が頭の中で響いた。葵や亜由子とは較べようもない。優劣ははっきりついている。

――でも、それは今のあなた。これからのあなたじゃない。

編集部が期待しているもの。それがわかった以上、応えられるかどうかが自分にとっていちばん大切なことではないのか。たとえ少なくても、ギャラを受け取るのだとしたら、それくらいの心構えは必要なのではないのか。

確かに、と奈央は呟き、それから手にしていたシャンパンを眺め、少し名残惜《なごりお》しげに冷蔵庫に戻した。

4

デスクの黒沢洵子からメールで連絡が入ったのは、初顔合わせから十日ほどたった頃である。

〈次回は『この夏、ヘビーローテーション間違いなしの服』で、ご協力をお願いしたいと思っております。カジュアル系アイテムをツーパターン程度、まずは服の写真をデー

タで送っていただき、当日それをお持ちの上、スタジオにお越しください〉

それからというもの、奈央はクローゼットの中を引っ掻き回し、ひとりファッションショーをしている。

去年の夏の終わり、来年用にとバーゲンで買った服がある。襟にフリルがあしらわれたコットンのプルオーバー、オフホワイトのチュニック、黒のレース付きキャミソール。これらを持ってゆくしかないと思うが、そうすると、ボトムスは何を合わせればいいだろう。二年前に買ったプリント柄のスカート？　もう何年も愛用しているデニム？　それとも去年の夏に重宝したクロップドパンツ？

どうしよう……。

ベッドの上に広げられた服を眺めて、奈央はため息をつく。何をどう着ていいのかわからない。

自分は今まで「着るもの」にどれほど悩まされて来ただろう、と奈央は思う。

どこかに行くことが決まると――ママ友達とのランチでも、学校の行事でも、美容院に行くのさえも――まず頭に浮かぶのは「何を着て行こうか」だ。スーツやワンピースで収まる場所はむしろ有り難いくらいで、ちょいコンサバとかちょいカジュアルというのがいちばん難しい。インナーはこれ、アウターはこれ、ボトムスはこれ、と組み合わせをしなければならない時など、物理の方程式を前にしたみたいに頭を抱えてしまう。この配色でＯＫだろうか、ラインは古臭くないだろうか、ボトムスはスカートにすべきかパンツにすべきか。ネックレスは？　バッグは？　足元は？　そうこうしているうちにだんだん時間が迫って来て「ええい、これでいい！」と焦った気持ちで選んでしまう。それで家を出て、ふとショーウィンドウに映る自分の姿を見て「どうしてこんなのを選んでしまったんだろう……」と激しく後悔する。そんなことを百万回は繰り返してきたように思う。それなのに、成果は今も身につかず、それどころか、失敗を恐れるあまりに無難なものを選び、相手に「いつも同じなのね」と言われて、ものすごく情けない思いをする。

数は多くなくていい。実際、そんなに服をたくさん買えるような経済状態でもない。手持ちの服をうまく組み合わせてセンスよく着る、そうできるのが望みだ。でも、それがいちばん難しいということもわかっている。

その夜の夕食時、夫の伸行と息子の智樹の前に並べたおかずを、奈央はなるべく見ないようにした。

食事をずっと控えている。食べるのは野菜の煮付けと海藻サラダとこんにゃく。もちろんダイエットを考えてのことだ。

あれから何とか二キロ落としたが、それからなかなか減らない。間食はやめたし、清涼飲料水はもちろんのこと、コーヒーやハーブティーにも砂糖はいっさい入れてない。それなのに結果が伴わない。かつて智樹の出産で十六キロも太ってしまったが、ちょっと頑張ってダイエットをしたらするすると体重が減った。それがあったから今回も何とかなると思っていたが、考えてみたらもう十三年も前の話だ。新陳代謝も鈍くなっているのだろう。

身体が糖分や油分を欲しがっているのがわかる。つい目がふたりの皿に行ってしまう。ひと口だけでいいから、伸行と智樹が食べているクリームコロッケを食べたい。とろっと濃厚なベシャメルソースを味わいたい。付け合わせにしたコーンのバターソテーも五粒でいいからつまみたい。

「食べれば」

よほど奈央の目が真剣だったのだろう、伸行が呆れたように言った。

「いらない」

奈央はワカメを口にした。もちろんドレッシングはノンカロリーのものだ。

「これくらい食べたって大丈夫だよ」

「そうだよ、おいしいよ、これ」

智樹がこれみよがしに、三個目のクリームコロッケを頬張る。

「いらないんだってば」

「無理しちゃって」

智樹がからかう。

「だって、ほら、ママはいちおうモデルだから。来週の撮影までにあと三キロ痩せなきゃいけないの」

「モデルっていったって、小さい写真がちょこっと載るだけなんだろ。誰も見てやしないって」

伸行が皮肉混じりに言う。

「それでもいいの、ママの気持ちとして痩せたいんだから」

「あっそ、だったら好きにすれば」

伸行も智樹も鼻であしらうように、テレビの画面に視線を戻した。

あと三キロ、どうやって痩せればいいだろう。朝だって人参ジュースを一杯、昼はこんにゃくラーメンにしているというのに……。そう言えば、近所に岩盤浴ができたというチラシが入っていた。初回は半額サービスと書いてあったから、明日にでも行ってみよう。

そこまで頑張った甲斐があり、撮影当日までに何とか五キロ落とすことができた。スタジオのヘアメイク室に入ると、トモさんがいきなり「どうしたの！」と声を上げた。

「言われた通り、五キロ、落としました」

奈央は胸を張って答えた。

「いったいどんなダイエットをしたのよ」

「とにかく食べないようにして、カロリーを減らして」

「馬鹿ねえ」

トモさんがため息混じりに呟いたので、奈央は思わず声を上げた。

「馬鹿って……。五キロ落とせって言うから頑張ったのに」

「そんな無謀なダイエットはガキがするものよ。あなた、自分を幾つだと思ってるの？」

「三十八です」

「でしょ。その歳になった女が、食べないダイエットなんてしたら、どうなるかわからないの？　やつれて老け込むだけじゃない。ほら、見てごらんなさいよ、肌に艶はないし、目の下にはクマができているし」

確かに、改めて鏡に映る自分と向き合ってみると、顔は一回り小さくなったものの、ひどく疲れて見える。二歳、いや三歳は老けたように感じる。

「あーあ、あなたの唯一の美点だった健康的なところがなくなっちゃったじゃないの」

「だって……」

トモさんの辛辣な言葉に、奈央は泣きたくなった。

「とにかく食べなきゃ駄目よ。特に良質のたんぱく質と食物繊維を摂らなくちゃ」

「でも、食べたら太るし」

「その分、運動すればいいのよ」

「近くにスポーツクラブもないし」

「そんなものに入らなくたって、歩けばいいのよ。毎日、二時間ほどウォーキングしなさい、それだけでかなり効くはずよ」

「ウォーキングですか」

「あと筋力トレーニングをプラスする。それも、ペットボトルをダンベル代わりにすればいいのよ。腹筋とか腕立て伏せなら、ベッドの上でもできるでしょ。基礎代謝を上げれば痩せる身体になるんだから。まったく、いい歳なんだから、少しは頭ってもんを働かせなさいよ」

奈央は膝に視線を落とした。すっかり落ち込んでいた。ご飯もアイスクリームもクリームコロッケも、何のために我慢したのだろう。

「でも、努力は認める。あなた、結構、根性あるじゃない。見直したわよ」

そんな奈央の思いを見透かしたように、トモさんが優しい口調になった。

「だから今日のところは、美のカリスマの私に任せておいて。メイクで悪いところみんなカバーしてあげる。でも、次に来た時もこんな顔してたら、もうしてあげないからね」

「よろしくお願いします」

奈央は思わず真剣な顔で頭を下げた。

続いた撮影もまた、奈央にとっては情けないものになった。葵と亜由子の持参した服やバッグ、靴、アクセサリーの類《たぐい》は、自分のものとは比較にならないくらいゴージャスだった。立場というか境遇というか、もっと言えば、夫の経済力とでも言うべきか、その差は歴然だった。

だから、ついこそこそしてしまう。なるべくふたりから離れた所に行こうとしてしまう。

しかし、どうやらデスクの洵子はそれを予《あらかじ》め読んでいたらしい。何着かの服を、奈央のためにスタイリストに用意させていた。

「宮地さんの場合は、最初にご自分で選んだものを着ていただいて、次にスタイリストが手を加えた状態のと、二枚撮らせてください。ちょっとした工夫でここまで変わる、という誌面にしたいと思いますので」

「はい……」と、頷いたものの、葵と亜由子に笑われているような気がして、奈央はいっそう身を小さくした。

しかし、さすがにスタイリストは的確だった。奈央が持ってきた服に、膝丈パンツや丈短かジャケットやロングカーディガン、もしくはアクセサリーやスカーフをプラスして、見違えるほど新鮮なスタイルに仕上げてくれた。何よりすごいと思ったのは、体型をうまくカバーするラインを知っているということだ。ワンサイズは確実に細く見える。

葵や亜由子の服は確かに高価な有名ブランドで文句のつけようがないが、センスという点ではやはりスタイリストにはかなわない。バーゲンの服でも、ちょっと工夫をすればここまでお洒落に着られるのだと、奈央はびっくりするばかりだった。

撮影が終わると、洵子が三人に封筒を手渡した。

「今度『ヴァニティ』が創刊六周年パーティを催すので、よろしかったらどうぞ」

その招待状だった。思わず目を輝かせてしまったのも、やはり奈央だけのようだ。葵も亜由子も驚くふうでもなく、さりげない態度で受け取っている。

パーティと銘打たれる場所になんて、ここしばらく行ったことがない。せいぜいママ友と開く手料理持ち寄りパーティぐらいのものだ。開かれるのは夜だが、絶対に行きたい。きっと本物のモデルさんなんかも集まるのだろう。お洒落で夢のようなパーティなのだろう。

しかし、やっぱり最初に考えたことは「何を着て行けばいいのだろう」だった。

パーティ当日。

今夜は伸行に早く帰ってもらい、智樹のことを頼んで、いそいそと会場にやって来た。銀座二丁目にあるフレンチレストランは、壁一面にボトルやグラスが並べられている。柔らかい照明と、品のいいクラシックが天井からさらさらと落ち、参加者たちを包み込んでいる。入口でグラスシャンパンを受け取り、奈央はおずおずと中に入って行った。

服は、迷った挙げ句、面接のために買ったオリーブグリーンのワンピースにした。もう初夏と呼んでもいい頃で、季節的にちょっと遅れているが、透明の石を使ったロングネックレスでカバーした。

しかし会場に入ったとたん、自分がどんな格好をしようと何の意味もない、ということを思い知った。

参加者は百人ばかりだろうか。カメラマンやスタイリスト、フリーライター、ブランドショップ関係者、そしてモデルたちがいる。

モデルたちは、それぞれにピンスポットが当てられたように輝いていた。『ヴァニティ』で活躍するモデルだから、年齢は奈央と大した違いはないはずだ。しかし、そうと思えないくらい若い。ショーモデルではないので、さすがに身長が百八十センチもあるわけではないが、小さな顔と華奢《きやしや》な身体とのバランスがいい。すらりと伸びた足は、ヒールの高いサンダルをまるで自分の身体の一部のように履きこなしている。シンプルでも一味違うドレス、色も形もさまざまなバッグ。葵や亜由子も普通の奥さんとしては飛び抜けて美しいが、こうしてプロのモデルを見てみるとやはりその差は如実に現れる。

奈央は壁際に立ち、ため息をつきながら、ぼんやりと彼女たちを眺めていた。

「何してんのよ、こんな隅っこで」

その声に顔を向けると、ヘアメイクのトモさんだった。ようやく顔見知りに会えてホッとした。

「モデルさんたちがあまりに綺麗で……」

「まあプロだからね」

「土台がまるっきり違うなあって」

「でもね、彼女たちも少し前までは普通の奥さんをやってた人がほとんどなのよ」

「そうなんですか？」

「確かに、若い頃はモデルをやってたっていう実績はあるけどさ。ほら、いつの時代もモデルはモテるから、とにかく若くて人気のあるうちにいい男を捕まえるのよ。たとえば青年実業家とか医者とか弁護士とかプロスポーツ選手とかね。で、華やかに結婚して、子供を持つ」

そのコースはもっともだと、奈央は頷く。

「それがモデルの花道だったわけ。そういう意味では昔のＯＬと同じ意識ね。でも、何年かすると、やっぱりそれだけの毎日じゃ満足しきれなくなるの。それで子供から手が離れた頃に、また現役復帰したくなるわけ」

「それですぐに復帰できるんだからすごいですよね」

「復帰直後は目も当てられない状況よ。顔も身体も、何もかもたるみきってる。それでも三カ月、半年、一年とたつうちに、見違えるほど研ぎ澄まされてゆくの。それと並行して、気持ちの方もどんどん変わってゆく」

「気持ちって？」

「最初はみんな、ほんのパート感覚で、とか、趣味の延長線上みたいなもの、なんて言ってるけど、だんだんあのモデルには負けられない、負けてたまるもんかってね。みんな、ああやってにこにこしながらお喋りしてるけど、内心じゃライバル心に燃えてるんだから」

奈央は会場の真ん中で、お喋りに興じている数人のモデルたちに目をやった。見る限りでは、心から楽しんでいる様子だ。

「まだ公表されてないけど、今度、表紙を飾ってるモデルが、年齢のこともあって交代するのよ。次の『ヴァニティ』の顔になるのは誰か、水面下では大変なことになってるんだから」

「へえ……」

「女はみんな、心の中にセシルが棲《す》んでるの」

奈央はゆっくりトモさんに目を向けた。

「セシル……？」

「そう」

「もしかして、フランソワーズ・サガンの『悲しみよこんにちは』のセシル？」

トモさんがにっこり笑った。

「あら、知ってるじゃない」

「でも、どうして？」

「あの小説の主人公セシルは、可愛い顔をしながら、とんでもないもくろみを持った女の子だった。読んだ時、私『これよ、これっ！』って思わず叫んじゃったわ。セシルは女そのもの、女の象徴よ。普段は忘れていても、ある時不意に、セシルが顔を出して来るの」

奈央は何度か瞬きした。

「こんな私の中にもセシルがいるのかしら……」

トモさんは眉をきゅっと上げて奈央を見返し、やがて皮肉ともとれる笑みを浮かべた。

「当たり前じゃない」

5

思うのだけれど、女も三十代の後半になると「綺麗でありたい」の意味が違ってくる。

若い頃は、とにかく男にどう見られるかが最大のポイントだった。特に独身の間は、いい男を捕まえるために、男を意識したお洒落やメイクに心を砕いた。可愛らしさも、女らしさも、セクシーさも、みんな男の評価を基準にしてのことだった。

でも今、いちばん気になるのは女たちの、それも同世代の女たちの目だ。

はっきり言って、男たちはジャケットのラインや、パンツの微妙なシルエットなど気にも留めない。というか、気づかない。胸の谷間が見えればドキッとし、髪を長くしていれば女っぽく映り、フリルやリボンがついていれば可愛らしく感じる。いわば、ものすごくシンプルな感覚を持っている。もちろん、それはそれでホッとする思いもあって、もし男が「今日のワンピースはウエストの切り替えが絶妙だね」なんて言うようなタイプだったら思わず退《ひ》いてしまうだろう。実際に成功するかどうかは置いておくとして、男の目を眩《くら》ますことは結構簡単だ。

でも、女はそうはいかない。

女の目は厳しい。ファッションやメイクやヘアスタイルだけでなく、バッグや時計やアクセサリー、靴、時には服の下に着けているランジェリーまで、きっちりと見定める。似合っているかどうかだけでなく、彼女がどうしてこの服を選んだのか、髪型にしたのか、口紅の色を決めたのか、心の裏側まで見抜こうとする。

だから女同士で会う時は大変だ。気を遣うし、お金も遣う。時々、うんざりして「どう見られたっていいじゃない」と、投げ出してしまいたくなる。

でも、こう思う自分もいる。

だからこそ、女は美しくなるのだ、と。

逆に言えば、美しくなるためには「女」の存在が必要だということだ。もしこの世に男しかいなかったら、女はきっと、男ウケするだけのダサい女になってしまうだろう。

奈央は最近、どこに行っても女性をつい観察してしまう。買い物中でもウォーキング中でも、素敵な女性がいると目を留め、足を止める。でもそれは、何も外見だけのことを言っているわけじゃない。頭の中では「あんなセンスのいい女性なら、きっと素敵な暮らしをしているに違いない」という想像が広がってゆく。本当にそうかということは二の次で、大事なのはそういう気持ちにさせてくれる雰囲気がある女性ということだ。素敵というのは、その人が持つオーラで決まる。

そしてわかる。『ヴァニティ』という女性誌は、街で見かける素敵な女性そのものなのだ。だから読者は、服やバッグといった商品ばかりでなく、モデルそのものも見る。綺麗で、スタイルがよくて、プライベートも充実している。何て素敵なんだろう、何て幸せなんだろう。と、そんなふうに思わせてくれるモデルに憧れる。そんな中でカリスマモデルが誕生する。

今『ヴァニティ』のカリスマモデルは沢口美奈子《さわぐちみなこ》だ。ミーナさんという愛称で呼ばれ、創刊以来、ずっと表紙を飾っている。ご主人は有名小説家、息子がひとり。先日のパーティで本物をちらっと見ることができたのはラッキーだった。

ミーナさんはもちろん美人だが、美人というだけなら他のモデルの方が上かもしれない。スタイルだって、ミーナさんより姿のいいモデルはたくさんいる。それでも同世代女性から不動の人気を誇っているのは、ミーナさんの放つオーラなのだと思う。どこかおっとりしていて、笑顔が人の心を和ませる。ミーナさんがするなら、トイレ掃除すらお洒落に思える。ミーナさんには人にそう感じさせる力がある。

トモさんから表紙モデル交代の噂を聞いたけれど、本当だろうか。ミーナさんの人気はまだまだ衰えそうにない。

自分はたまたま読者モデルに採用されただけで、モデルと名がついていることさえおこがましいことは十分承知している。同じ立場にある葵や亜由子と較べても、足元にも及ばない。それでもいつか――無謀な願望と笑われるのは覚悟して言うけれど――ちょっとでいいから、誰かに目を留められるような存在になりたい。さりげないけれどお洒落で素敵、そんなふうに思われる女性になりたい。もちろん、人には口が裂けたってそんなことは言えないけれど。

今日は奈央が初めて誌面に紹介された『ヴァニティ』の発売日だ。

編集部から送られてきたそれを開いて、奈央はページをめくった。なかなか見つから
ず、二度見過ごして、やっと『新読者モデル紹介』のページに行き当たった。写真は名
刺ぐらいの大きさで、コメントも五行ほどだが、やはり嬉しい。自分じゃないような面《おも》
映《はゆ》さもあった。

携帯電話が鳴ったので出てみると、学生時代の友人からだった。

「見たわよー、奈央、すごいじゃない」

いきなり言われて面食らった。

「私『ヴァニティ』は毎月欠かさず読んでるの。開いたら奈央が載ってるじゃない。も
う、びっくり。読者モデルなんてやるわねぇ」

「たまたまなんだけどね」

と、答えながらも、決して悪い気持ちじゃない自分に気づいて苦笑する。

「ねえ、本物のミーナさんと会った？」

さすがカリスマモデルだけあって、彼女もファンのひとりらしい。

「ちらっとだけど」

「どうどう、どうだった？」

「素敵だった。輝いてた」

「やっぱりねえ。私、ミーナさんの着てるもの、何でも欲しくなっちゃうのよね。土台が違うってわかってるんだけど、ちょっとでも近づけるかなって——でさ」

と、友人はわずかばかり口調を変えた。

「掲載された商品とか、割引で買えたりしないの？」

そんなことを言われるとは思ってもいなかったので、奈央は返事に窮した。

「えっと……それはどうかな」

「今月号で、ミーナさんがカチューシャ代わりに髪を上げてたサングラスがあるでしょ、あれ欲しいんだけど何とかならないかな」

「うーんたぶんそういうのは無理だと思う。私は単なる読者モデルに過ぎないし」

「なあんだ」

電話を切ってため息をついた。でも考えてみれば、友人が読者モデルになったと知ったら、思いつくのはこんなことなのかもしれない。

それから一週間の間に、かなりの数の電話やメールを貰った。喜んでくれる友人もいたが、皮肉混じりの言葉も結構あった。

「ねえ、読者モデルって抽選なの？」

と、言われた時はさすがにムッとしたけれど、笑って受け流しておいた。

「聞いたんだけど、文香が辞退したからその代役なんですって？」

というのもあった。

違う、文香は落ちて、私は受かったの。

と言いたい気もしたが、何もそこまでムキになることもない。採用されたのは運がよかっただけ、ということは奈央自身がいちばんわかっている。

あれから文香と一度も会ってないし、連絡も取っていない。文香はどんな気持ちで『ヴァニティ』を開いただろう。いや、たぶん二度と買わない。絶対に見ない。同窓会で再会して、昔のように仲良くなれると思えたが、結局こんな形になってしまった。女同士は難しい。

そのメールが来たのは、ちょうど夕食の用意も終わり、智樹の帰りを待っていた時だった。

着信の音に携帯電話を手にし、メールを開いた。

〈忠告。職業の選択は個人の自由でしょうが、学校の品位に関わるようなことは自重し

ていただきたいものです。保護者として、良識ある行動をお願いします〉

何なの、これ……。

思わず口からこぼれた。

まさかこんな苦情が寄せられるとは思ってもいなかった。一瞬文香か……と思ったが、送信元は知らないアドレスだった。では、智樹の学校の関係者だろうか。文面からすると教師とは思えない。学校にはいざという時のための連絡網があって、奈央の携帯アドレスも公開されている。メールを送るのは簡単だ。

さすがに気持ちは沈んだが、だんだん怒りが込み上げて来た。

品位に関わるってどういうことよ。モデルは品位のない仕事だって言うの。何も知らないくせに、冗談じゃないわよ。

帰って来た智樹に、メールのことは伏せつつ、さりげなく聞いてみた。

「ねえ、ママのことで、友達から何か言われたりした？」

夕食のアスパラのベーコン巻きを頬張りながら、智樹があっけらかんと答えた。

「何かって？」

「読者モデルなんて変なことしてるとか、何とか」

「ぜんぜん」

「そう」

「そんなの言われるわけないじゃん。同級生にはタレントや歌手の子供がいるし、高等部の先輩には、本物のモデルをしてる母親もいるんだから」

「ふうん、そうなんだ」

何だ、同じような保護者がいるではないか。やはりあれはやっかみのメールだったのだ。

「ねえ、そのモデルの母親がいるっていう高等部の先輩、何て名前？」

何気なく尋ねた。

「沢口って言ったかな」

「えーっ」奈央は思わず声を上げた。

「もしかして、おかあさんっていうのは沢口美奈子じゃない？」

「そこまではわかんねー」

「今、ママが出てるのと同じ雑誌のモデルってことはない？」

「何て雑誌だっけ」

「『ヴァニティ』よ、前に言ったじゃない」

「うーん、そんなんだったような気がするけど、やっぱりわかんねー」

きっとそうだ。間違いない。カリスマモデルのミーナさんの息子は、智樹と同じ学校に通っているんだ。

「すごい、すごい、すごい偶然」

だからといって、何がどうというわけではないが、奈央はわくわくして呟いた。


今回のテーマは『こっそり見ちゃう、お友達バッグの中身』である。

デスクの洵子からは「いつも使っていらっしゃるもので結構です」と連絡が来たが、もちろん、そういうわけにはいかない。化粧ポーチは新しいものに変え、ハンカチもお洒落な柄のものを買って来た。バッグは持っている中でいちばん高いブランドのものを選び、普段はあまり活用していない手帳と万年筆も入れた。

準備万端の思いで撮影に出向いたが、当然と言うべきか、葵や亜由子の持って来たものとは格差があり過ぎるくらいあった。まずバッグそのものがクロコのバーキンだったりするのだから、どうしようもない。葵など「亜由子さんと重なったら困ると思って」と、別のバッグを用意して来たくらいだ。

「まあ、葵さんったら、そんな心配なさることないのに」

と、にこやかに言う亜由子のバッグは、有名ブランド店のオーダーメイドだそうだ。

対抗意識を燃やすなんて気にもなれない。むしろ、ここまで差があるとさっぱりする。

撮影が終わり、スタジオの隅にあるテーブルでコーヒーを飲みながら雑談していると、モデルがふたり、仲良さそうに笑い声を上げながら廊下を通り過ぎて行った。

「ロケ撮影らしいわよ」と、葵が言った。「さっきカメラマンの山下さんに聞いたの」

当然だが葵が彼の名を出す時は得意そうだ。

「あのふたり、ミーナさんに次いでナンバー2とナンバー3のモデルなんですって」

それからいくらか声を潜めた。

「ほら、今、ミーナさんの卒業話が出てるじゃない。その後釜の最有力候補のふたりらしい。仲良さそうに振舞ってるけど、内心じゃライバル心に燃えてるに決まってる。女の戦いよね」

「大変ねえ」おっとりと亜由子がため息をつく。「読者モデルでよかったわ、私たちはこうして三人で仲良くできるんですもの」

「そうよね、プロのモデルになんかなったら、きっと性格悪くなっちゃう」

葵と亜由子は顔を見合わせて笑い合った。

それからもしばらくお喋りは続き、話題は自分たちが紹介された『ヴァニティ』に及んだ。葵も亜由子も友人たちからの反応は結構あったようだ。そんな中で、奈央はふと

「実は、保護者らしい人から批判的なメールが来たの」と洩らした。

「学校で禁止されているわけじゃないんでしょう？」

亜由子の言葉に奈央は頷く。

「そんなこと言われなかったし、実際、親が芸能人も何人かいるみたい」

高等部にミーナさんの息子がいるらしい、という話はしなかった。狡《ずる》いような気もしたが、確認したわけではないし、今は自分だけの秘密にしておきたい気持ちもあった。

「ひどいわ、どうしてそんな心無いことができるのかしら、信じられない」

お嬢さま育ちの亜由子は今にも泣き出しそうだ。

「気にしないでおこうって思ったんだけど、やっぱりちょっと憂鬱《ゆううつ》で」

「わかるわ、奈央さんの気持ち。それで子供が苛《いじ》められたりしたらどうしようなんて、つい考えてしまうのよね」

「放っておけばいいのよ」

きっぱりと言ったのは葵だ。奈央と亜由子は思わず顔を向けた。

「それでも何か言われたり、子供が苛められたりしたら、私は学校や保護者にきっちりクレームをつけに行く。悪いことをしているわけじゃないんだもの、とやかく言われる筋合いはないって」

亜由子が感嘆の息を吐く。

「まあ！　やっぱり葵さんは違うわ、正々堂々としてる。そういう気持ちって大切よね」

「当然よ」

それからしばらくして葵が洗面所に立ち、席をはずした。すると待っていたかのように、亜由子が奈央の耳元に口を寄せて来た。

「葵さんにわかるはずないわよね」

「え？」

奈央はコーヒーを持つ手を止めた。

「ほら、葵さんって専門学校出身でしょう。お子さんも公立に通わせてるから、私立のいろんなお付き合いっていうの、ぜんぜんわかってらっしゃらないの。そんな人にあれこれ言われても説得力がないわよね」

奈央は亜由子の顔をまじまじと眺めた。

葵の出身校や子供の学校など、初めて聞く話だった。亜由子はどうしてそんなことまで知っているのだろう。

「ね、そう思わない？」

奈央は曖昧《あいまい》に頷いた。

「ええ、まあ……」

女の戦いは、やはりここでも始まっているらしい。

6

そろそろ梅雨が始まろうという頃、デスクの洵子から電話が入った。

「できましたら、明日のお昼に一時間ほどお時間いただきたいんですけど、ご都合はいかがでしょう」

こんなことは初めてだ。奈央は戸惑いながら答えた。

「大丈夫ですけど、あの、何か……」

「ちょっと副編の石田が折り入ってお話をしたいそうなんです。ランチでもご一緒しながら、ぜひ」

「私ひとりですか」

「ええ、そうです」

最初に頭に浮かんだのは「クビ」ということだった。読者モデルに採用されてそろそろ三カ月。相変わらず自分だけ浮いている。服もバッグもロクなものを持っていない。ヘアメイクのトモさんから五キロ減量と言われているのに、二キロリバウンドし、実質三キロ減のままで止まっている。葵や亜由子とは差が付くばかりで、ついに編集部から愛想をつかされたのかもしれない。

「じゃ一時に編集部でお待ちしています」

その夜、奈央はなかなか寝付かれなかった。クビになったらみんなに何て言い訳しよう。『ヴァニティ』を見た友人たちは、きっと陰で「奈央が読者モデルなんて、やっぱり無理だったのね」と笑い合うだろう。文香にしたら「それみたことか」と鼻で嘲笑《あざわら》うに違いない。対外的にはどんな言い訳がもっともらしいか。やっぱり「夫の反対」とか「家庭を優先」とか「息子の教育」なんていうのがまっとうだろうか。

翌日、一時ちょうどに編集部に入った。どの机にも本やら写真やら茶封筒やらファイルが乱雑に積み重なり、ここは雑誌の優雅さとは別世界だ。

「おはようございます」

奈央は洵子の机の横に立って声を掛けた。もうお昼を過ぎた時間だが、いかにも業界っぽいこんな挨拶にも慣れつつある。

「ああ宮地さん、すみません、無理言って」

洵子が顔を向けた。

「とんでもないです」

「じゃ、行きましょうか。石田が店で待ってますから」

会社を出て、近くにある小さいながら洒落た雰囲気のイタリアンレストランに案内された。ドアを開けると、奥のテーブルから副編の石田が手を挙げた。

「ここです」

奈央は緊張しながら石田に近付いた。石田は席を立って奈央を迎えた。

「お呼びたてしてすみません」

「いえ」と、恐縮しながら頭を下げる。

「どうぞ座ってください。この店のランチ、結構いけるんですよ」

口調も表情も和やかに石田は言った。

石田は南城編集長とは対照的なタイプである。外見はやや小太りで、編集者と言うよりサラリーマン、いや公務員風に見える。服もオーソドックスにまとめていて、こう言っては何だが三十九歳という年齢より少し老けた印象がある。それでもメガネや腕時計や靴といった小物は一目で高級品とわかるものをつけている。やはり、それなりのこだわりがあるのだろう。

三人とも石田が勧めるランチを注文し、改めて顔を合わせた。

「今日はちょっとお話がありまして」

ああ、いよいよだと思う。知らず知らず肩に力が入る。

「実は、前に宮地さんにご登場いただいた『この夏、ヘビーローテーション間違いなしの服』という企画があったでしょう」

あれは思い出しただけでも恥ずかしい。奈央の持参した服だけではとても誌面に載せられず、スタイリストに用意してもらったものを拝借したのだ。

「正直なところ、企画のアンケート順位はそんなによくなかったんです」

ああ、やっぱり。

「でも、宮地さんの評判はお三方でいちばんよかったんですよね」

「え?」と、奈央は思わず顔を上げた。

「等身大っていうんでしょうかね。とても参考になったとか、親しみやすかったというような感想が結構来てるんですよ」

奈央は瞬きして石田を眺めた。

そんな奈央の反応を予想していたかのように、石田は満足そうに目を細めた。

「手前味噌になりますけど、これは編集部の狙い通りだったんです。雑誌には二面性が必要です。とてもじゃないが手の届きそうにない憧れの部分と、これなら自分だって何とかなるという身近に感じられる部分。宮地さんなら、その身近に感じられる方のケースとして受け入れられるのではないかと、まあ、そういう思いがあって採用が決まったんです。で、今回、まさにその通りの結果が出たというわけです」

よくわからないが、とにかく褒められているのは確からしい。

「それで、いよいよ前々から考えていた企画を始めたいと思いまして」

奈央はただ黙って瞬きを繰り返すばかりだ。

「美しくなるために、いろんなことにチャレンジしていただくというものです。メイクや髪型やファッションはもちろん、エステやヨガ、最近流行のエクササイズ、時には座禅を組むとか断食道場に入るとか、まあいろいろです。それを体験していただき、レポートを書いてもらいたいんです。どうですか、やってみませんか」

イエスもノーも、どう答えていいのか見当もつかない。やれるかやれないか、それも判断がつかない。わかるのは、これを引き受ければ、読者モデルをクビにならなくて済むらしいということだ。だったら頷くしかないではないか。

「やります」

「よかった。では早速、編集部で企画を立ててみましょう」

石田が穏やかな笑みで大きく頷くのを、奈央はぼんやり見つめていた。

翌週の撮影は『最後はやっぱり足元で決まる』というテーマである。

いつもながら奈央はため息をつく。下駄箱を開けば、それなりの数の靴はあるのだが、どれもこれも人前に出せるような代物ではない。ヒールが高すぎて一度しか履いたことのないパンプスと、花飾りが派手過ぎて履けずじまいでいるサンダルを選んだ。洵子からは「二、三足こちらで用意しておきます」と言われているので、もうそれを頼りにするしかない。

撮影場所のスタジオに入ると、すでに葵と亜由子が来ていて、隅のテーブルでお茶を飲んでいた。ふたりに近づくと、開口一番、葵が言った。

「奈央さん、先週、副編の石田さんとランチをしたんですって？」

いきなり言われてびっくりした。

「え……どうして知ってるの」

「編集部の人に聞いたの。何の話だったの？」

まだ企画のことは内密にしておいて欲しいと言われている。奈央は言葉を濁した。

「別に大したことじゃ」

「いいじゃない、隠さなくたって」

葵はストレートだ。その目にスタンドプレーは許さない、とでも言うような強い警戒心を感じて少し怖くなる。何も言わずに済ませることはとても出来そうになくて、奈央は適当に言い繕った。

「葵さんと亜由子さんに較べたら私があまりに見劣りするから、何とか対策を練らなくてはいけない、というようなことを言われたの」

我ながらうまい言い訳に思えた。案の定、葵はそれで納得したらしく、急に表情を和《やわ》らげた。

「なあんだ、そういうこと。まあね、石田さんの言いたいこともわからないことはないけど、別にいいんじゃないかしら、それぞれに個性があって当然なんだもの」

と、優越感を隠すことなく言った。

「でもね、奈央さん」

話を割るようにして言葉を掛けてきたのは、亜由子だ。

「こんなことを言っては失礼かもしれないけれど、奈央さん、少し努力が足りないんじゃないかしら」

いつになく口調が硬く、表情もぎこちない。

「努力？」

「問題はお洋服やバッグを持ってないってことじゃなくて、センスを磨くことだと思うのよ」

「はい……」

正論なので反論できない。

「そういう努力もしないで、石田さんに頼ってお仕事の邪魔をするのはどうかと思うのね」

「別に、私が相談したとか、そういう訳じゃ」

「見劣りするっていうなら、石田さんじゃなくて、私や葵さんに相談してくださればいいのに。私たちだって、それなりのアドバイスができるんだから」

「でも石田さんが……」

「石田さん石田さんって、何だかそういうのとても不愉快」

そう言って、亜由子は不意に席を立ち「何だかここ空気がよくないみたい」とスタジオを出て行った。奈央は唖然としてその姿を見送った。

「私、何か亜由子さんの気を悪くするようなこと言ったかしら」

呟くように言うと、葵は肩をすくめながら笑った。

「ヤキモチよ」

「やだ、気づいてなかったの。亜由子さんね、石田さんに気があるの」

「まさか」思わず口から出た。

「ほら、この間、創刊六周年パーティがあったでしょ。あの時、自宅の方向が同じだからって帰りに送ってもらったらしいのよ。それから亜由子さん、石田さんを見る目がすっかり変わっちゃったの。もしかしたらあの夜、ふたりの間で何かあったのかもしれない」

奈央はただ目を丸くするばかりだ。

「まあ、それは単なる推測だけど、亜由子さんの気持ちが石田さんに傾いているのは確か」

「へえ……」

としか、奈央は答えようがない。

「亜由子さんの趣味ってわかりやすいよね。学歴大好きなの。石田さんってね、ああ見えて東大の大学院を出ているんですって。目立たないけど、実はエリートコースに乗ってるらしい。亜由子さんにしたらたまらないんじゃないの」

「でも、亜由子さんのご主人だって外科医でしょう」

「養子だけどね」

初耳だった。

「で、そのご主人っていうのが、地方の国立大の医学部出身らしいんだけど、そんな大学どこにあるのってくらいマイナーなところらしいのよ。だから亜由子さん、絶対にダンナ様の出身校の話はしないでしょ。コンプレックスだからよ」

「そうなのかしら……」

「亜由子さんが筋金入りのお嬢さまなのは認める。でも、そういう人ってあまり男の免疫がないじゃない。色恋沙汰で足を掬《すく》われなきゃいいんだけどね」

奈央はまじまじと葵の顔を眺めた。葵と亜由子は普段とても仲がいい。もちろん表面上のことだとわかっているが、奈央の知らない間に葵と亜由子の仲は大変なことになっているのかもしれない。しかし、これは決して他人事《ひとごと》ではないはずだ。自分が、ふたりの間でどう言われているかも想像がつく。

その時、葵がドアに目を向けて「あらっ」とはしゃいだ声を上げた。

「やだ、今日の撮影、山下さんだったんだ。山下さーん！」

奈央の存在など忘れたように、カメラマンの山下の元へと駆け寄ってゆく。

葵は亜由子のことばかり言っているが、自分はどうなのだろう。山下カメラマンとの方がよほど怪しく感じられる。でも、そんなことを考えてもどうしようもない。奈央は椅子の背もたれに「ふう」とよりかかった。


それからしばらくして、息子の智樹の学園祭が行われた。

智樹は剣道部から『キャラメルポップコーン』の店を出すことになっている。入学して初めての学園祭ということもあり、奈央は楽しみにして出掛けてきた。平日開催ということで伸行が来られなかったのは残念だが仕方ない。

嫌がらせ的なメールのことを忘れたわけではないが、もう気にしないでおこうと思っていた。何しろ『ヴァニティ』のカリスマモデル、ミーナさんの息子も通っているのだから、何か言われても言い返すだけの根拠がある。

会場は予想よりたくさんの人で賑わっていた。到着すると、奈央はすぐに智樹の店を探し当て『キャラメルポップコーン』を買おうとした。しかし智樹は奈央の姿を認めると、照れ臭そうにさっさと裏の方に逃げ込んでしまった。

もう母親が現れて喜ぶ年代ではないのだと実感する。智樹もそれだけ大人になったということだ。寂しいが仕方ない。一袋だけ買ってその場を離れた。

学園祭は中等部と高等部の合同で行われている。まさかと思っていたが体育館前のカフェテラスでその姿を見つけた。ミーナさんだ。

さすがに場所をわきまえてか、気がついていても騒ぎ立てるような人はいないが、それでもミーナさんの周りを七、八人の母親たちが囲み、賑やかに談笑していた。その中に入ってゆく勇気はとてもないが、少しでも近づいて本物を見てみたいという気持ちが抑えられず、奈央はカフェラテを買ってさりげなく傍《そば》のテーブルに腰を下ろした。

ラテを飲みながら観察する。パーティで遠くからチラッと見掛けたが、あの時の華やかさとは違って、今日は白シャツにデニムというシンプルな服装だ。それでも、周りの母親とはぜんぜん違う。まるで違う。美しいとかスタイルがいいというだけでなく、やはり独特のオーラがほとばしっている。

ふとミーナさんが顔を向け、偶然に目が合った。反射的に奈央は小さく頭を下げた。するとと驚いたことにミーナさんが席を立って近づいて来るではないか。

「もしかしたら『ヴァニティ』で読者モデルをなさってる方じゃありません？」

言われて、奈央は慌てて立ち上がった。

「あ、はい、そうです」

取り巻きの母親たちが怪訝《けげん》な視線を送って来る。まさか一介の読者モデルに過ぎない自分のことを知っているなんて考えてもいなかったので、すっかり面食らっていた。

「南城編集長から、今度の読者モデルの方の息子さんが、私の子供と同じ学校の中等部に通っているって聞いてたから」

「はい、そうなんです」

「お会いできて嬉しいわ」

にこやかな表情で右手を差し出され、それが握手を求めている仕草と気づいて、奈央は慌てて手を差し出した。

「こちらこそ。私なんかのこと覚えてくださっていて感激です」

緊張して返す言葉もしどろもどろだ。

「私はね、毎月すべてのページをチェックしているの。どのモデルがどういうページを飾っているか。それが『ヴァニティ』の顔としての責任だもの」

すごいと思う。圧倒される。

「これも何かのご縁ね。また、お会いしましょう」

優雅な笑みを残し、ミーナさんは元の席に戻って行った。

それでもしばらくの間、奈央は興奮のあまりその場に立ち尽くしていた。

7

「ねえ、トモさん。ミーナさんは本当に『ヴァニティ』を卒業するの？」

鏡を通して奈央はトモさんと目を合わせた。

いつものヘアメイク室。トモさんは奈央の髪にカーラーを巻いている。今日は『ママ友とのランチは上品カジュアルが基本』の撮影がある。

「あんまり私の口からは言えないけれど、そうなると思うわよ」

奈央は智樹の学園祭で会ったミーナさんのオーラに包まれた姿を思い出した。

「ミーナさん、そりゃあ少しは歳が上になったかもしれないけど、まだすごい人気でしょう。ファンもたくさんいるのに、もったいない」

トモさんは手を止めて、呆れたように奈央と目を合わせた。

「あなた、全然わかってないのね。女性誌っていうのは年齢でものすごく細分化されているの。確かに四十代半ばでもミーナさんは綺麗だし人気もある。でも、だからこそ三十代後半から四十代前半の読者をターゲットにする『ヴァニティ』から主流の年代が離れてゆく恐れがあるわけじゃない。ミーナさんが抜けるのは編集部としても痛いに決まってる。それでも『ヴァニティ』のカラーを守るためには仕方ないことなの。それだけこの業界の競争が激しいって証拠よ」

奈央は感心しながら頷いた。

「そうなんですね……確かにびっくりするほどたくさんの女性誌が出てますもんね。本屋さんに行ったら、時々、何を買えばいいのかわからなくなってしまう。似たようなのもいっぱい並んでいるし」

「でしょう、南城編集長も頭を悩ましてるのはそこなのよ」

「でも、何もこんなに人気のある今じゃなくても」

「人気があるから今なんじゃない。人気が落ちてからだったら『卒業』じゃなくて単なる『降板』になってしまう。それじゃミーナさんの経歴に傷がつくでしょ。何でもそうだけれど、いちばん大事なのは引き際よ。そこのところは南城編集長とミーナさんの意見も一致してるはずよ」

トモさんの言葉には説得力がある。

「まあミーナさんくらいの人気があれば、『ヴァニティ』を卒業しても、どこの女性誌からもひっぱりだこだろうけど」

「それがそうでもないのよね」

トモさんの意味深な言い方に、奈央はつい鏡に映るトモさんに向かって瞬きした。

「どうして？」

「うちでの人気が高いゆえに、ミーナさんイコール『ヴァニティ』ってイメージが強過ぎるの。他の女性誌からすると、ちょっと扱いが難しいんじゃないかしら」

「じゃあ、卒業後はどうするの？」

「今、それを考えている最中でしょ。編集部もミーナさんの身の振り方については考慮してるだろうし、やっぱり円満卒業に持って行きたいだろうし」

「まさか主婦に戻るなんてことは」

トモさんが急に話を変えた。

「あなた、何なの」

「えっ」

「最近トリートメント怠けてるでしょ。毛先パサついて、まとまりが悪いったらないわよ」

「あ、すみません……」

奈央は思わず首をすくめる。トモさんのチェックは相変わらず厳しい。

「で、ミーナさんのことですけど、ご主人は有名作家だから生活に困ることはないだろうし、もしかしたらもしかして、このまま辞めちゃうことになったりして。そんなことになったらファンがどれだけがっかりするか。私もすごく残念」

「それはないと思うわよ」

カーラー巻きを再開しながら、さらりとトモさんは答える。

「どうして？」

トモさんはさりげなく周りを見回し、声を潜めた。

「ここだけの話、ご主人の小説が最近ぜんぜん売れてないらしいのよ」

「え……」奈央は返事に窮した。

「あの世界も厳しいみたいね。一時は本を出せばベストセラーだったのに、今は実質的にミーナさんが稼ぎ頭だっていうから、生活のためにもそれはないんじゃないの」

「いろいろ事情があるんですね……でもミーナさんくらい綺麗で人気があるならモデル以外にも、女優とかタレントとか、そういうのにもなれそう」

「その話も出てるらしいけど」

「やっぱり」

「でもね、私はそっちへは行かないと踏んでるの」

「どうして？」

「ミーナさんは頭のいい人よ。自分に向き不向きが何なのかくらいわかってるはず――まだ内緒だけど、ミーナさんのための、新しい女性誌を立ち上げるって噂もあるのよね」

「へえ……」

言ってからトモさんは急に眉を顰めた。

「やだ、私ったらこんなことまで喋っちゃって。あなたってモデルらしくないから、ついい近所のおばちゃんと井戸端会議をしている気分になっちゃうのよ。言っておくけど、これはあくまで噂だからね。それからここだけの話ってことも忘れずに。他言は無用よ」

この卒業劇にはいろんな事情や思惑が交錯しているらしい。

「はい、わかってます」

トモさんの目がいつになく真剣だったので、奈央は思わず大きく頷いた。

それからしばらくして、例の企画が動き始めた。石田副編集長から提案されたチャレンジものの企画である。タイトルはそのまま『ビューティ・チャレンジ』。

洵子から告げられた時は、あまりにストレート過ぎて気恥ずかしくもあったが、やはり自分のための企画だと思うと嬉しい。担当を任された洵子もずいぶんと張り切っている。

「奈央さんには、これからいろいろ冒険してもらいます。ふたりで頑張りましょう」

「はい、よろしくお願いします」

奈央も緊張しつつ答えた。

最初のチャレンジは、ロンドン帰りの新進ヘアデザイナーに髪をカットしてもらうというものだ。そのヘアデザイナーはまだ二十代半ばの若さで、日本では無名らしいが、洵子がいちはやく注目したという。

「すでに名のあるカリスマ美容師じゃ面白くないでしょう。『ヴァニティ』がその人を有名にするってことに価値があるんです」

それはもっともだと奈央も思う。

連れて行かれたのは青山のはずれにある小さなヘアサロンだ。まだ帰国したて、開店したてということで、ヘアデザイナーと助手のふたりでやっている。店の造りはシンプルで垢抜けていた。ヘアデザイナーもソフトな面立ちでなかなかいい男だ。

カメラマンが機材をセットしている間に、三人で簡単に打ち合わせをした。

洵子は力説している。

「今、読者のヘアスタイルの主流はロングにゆるウェーブ、もしくはボブといったところです。でも、それじゃもう個性がないっていうか、冒険がないと思うんです。『ヴァニティ』世代に向けて、ぜひ新しいヘアスタイルを提案してほしいんです」

「任せてください」

ロンドン帰りの新進ヘアデザイナーは自信たっぷりに頷いた。

もしかしたらショートにするつもりだろうか……と、奈央は内心困惑していた。

自分にショートは似合わない。そのことは中学生の時から知っている。だからずっと肩までのセミロングを通している。少し痩せたとはいえ、どちらかと言うと下ぶくれ気味の輪郭は、髪でふんわり頰を包まないとやけに顔が大きく見えてしまう。中学生の時、ついショートにして「がきデカ」とあだ名がついてしまったのは、今でも人生最大の汚点だと思っている。

「さあ、どうぞ」

鏡の前に座らされ、クロスを掛けられる。もうカメラマンの撮影も準備完了だ。

「じゃ、カット行きます」

鋏《はさみ》を手にしたヘアデザイナーに、奈央は声を掛けた。

「あの……」

「何でしょう」

「私、ショートは似合わないと思うんです。なので、あまり短いのはちょっと」

ヘアデザイナーはにっこり笑った。

「そんなことないですよ。似合うと思いますよ。どうぞ安心して僕に任せてください」

「でも……」

「大丈夫です」

そこまで言われると反論できない。もしかしたら似合わないというのは自分の思い込みで、腕のいいヘアデザイナーの手に掛かれば今までとは違う一皮も二皮も剝《む》けたいい女になれるのかもしれない。

シャリッシャリッと、カットされた髪がリノリウムの床に散らばった。

――そして一時間後。

ヘアサロンから帰る足取りは重かった。

奈央はいたたまれない気持ちで、洵子はずっと口を閉じたままで、カメラマンも気まずそうに黙っている。

正直言って、泣きたい気持ちだった。だから言ったのだ、ショートカットは似合わないと。これがロンドン帰りの最新カットかもしれないが、自分にはモード過ぎる。何より、恐れていた通り顔が大きく見える。

ファッションや化粧も大事だが、女にとって髪型は何よりも優先することだと今更ながら痛感する。どんなにお洒落をしても、似合わない髪型ぐらいすべてを台無しにするものはない。

家に帰っても、洗面台の鏡の前に立って、奈央はまた泣きそうになった。

前髪は眉の上でぱつんと切り揃えられ、耳の横では髪がピンピンに跳ねている。おかっぱの変形と言えばいいのだろうか。何よりも顔の露出が多過ぎる。きっと目鼻立ちのはっきりした欧風顔には似合うのだろうが、東洋顔の奈央には寝癖のついた小学生の髪型にしか見えない。自分でブローしたり、ムースでふんわり感を出してみたりしたが、その努力も、何の効果ももたらしてくれなかった。

夜、帰って来た夫の伸行には呆れられ、息子の智樹には笑われた。

「流行の最先端なのよ」

と言い返してみたものの、もうしばらくはウォーキングにも買い物にも出たくない心境だ。

それでも初めての自分のページなのだからと、必死に自分に言い聞かせた。

しかし二日後、洵子から電話が入った。

「すみません。実は急に誌面の変更がありまして、今回の企画はボツになりました」

「そんな……」

奈央は思わず情けない声を上げた。

「私も残念なんですけれど、そういうことなのでご了承ください」

取り付く島もないまま電話は切れた。

誌面の変更だなんて言い訳に決まっている。それくらいの察しはつく。写真を見て、南城編集長も石田副編も「ちょっとこれは……」という結論に達したに違いない。

だったらいったい何のためにこんな髪型に……。

奈央はその時、決心した。

いくら編集部から言われたことでも、何でもかんでも受け入れるのはやめよう。自分も納得しなければ後悔が残るだけだ。髪をカットする前も、もっとはっきり「ショートにしたくない」と自分の意思を言葉にして告げるべきだった。自分は確かに読者モデルでファッションもヘアメイクも素人だが、たとえ生意気と思われても、次からは自分の意見もきちんと口にしなければ――。


二週間後、いつもの三人で撮影があった。

テーマは『〝夫とドライブデート〟で着る服』である。

髪は、少し落ち着いたものの、顔が大きく見えるのは変わらない。それで早めに出向いて、トモさんに相談することにした。

トモさんは「カッパかと思った」とげらげら笑いながらも、エクステンションと部分ウィッグを付けてくれ、驚くほど以前の髪型に近づけてくれた。さすがに美のカリスマだ。

その後、時間までスタジオの隅でぼんやりコーヒーを飲んでいると、葵が入って来た。

「あら奈央さん、思ってたほど変わってないじゃない」

どうやら奈央のショートカット話はもう伝わっているらしい。

「今、トモさんに直してもらったの」

「そう、それはよかったわね。でも、ちょっと見たかったわ、斬新なショートカットっていうの」

言いながらも、葵の口元には意味ありげな笑みが浮かんでいる。

「ねえ聞いていいかしら、奈央さんの『ビューティ・チャレンジ』って企画だけど、いつ決まったの？」

「えっと、ひと月ぐらい前だったかな……」

つい視線を膝に落として答えた。

「へえ、そうだったの。だったら教えてくれればよかったのに。奈央さんって、見かけによらず秘密主義なのね。それに策士でもあったりするのかしら」

葵の皮肉が伝わって来る。石田副編から内密にと言われていたから話せなかった、と言っても、どうせそのまま受け取ってはもらえないだろう。

「でも、せっかくの企画なのに初回がボツなんて、縁起がよくないわねえ」

葵はくくっと肩をすくめて笑った。

返す言葉もなかった。葵の顔に「それみたことか」が張り付いていて、落ち込みそうになった。そうしているうちにスタジオのドアから亜由子が姿を現した。「遅くなっちゃって」と、こちらに近づいて来る。亜由子が椅子に腰を下ろすや否や、葵はすぐに言った。

「ねえねえ、亜由子さんは知ってた？　奈央さんの新しい企画が始まったの」

「ああ、それね」

亜由子は困ったように頷いている。

「あら、知ってたんだ。じゃあ、初回がお蔵入りになったってことは？　これは初耳でしょう？」

葵は、奈央が特別な仕事を与えられたことがよほど気に食わなかったらしい。とことん笑い物にするつもりのようだ。

「それで今、残念だったわねって奈央さんを慰めていたところだったの」

「そう……あのね、奈央さん」

亜由子は不意に奈央に顔を向けた。

「私、奈央さんに謝らなくちゃいけないの」

と言って、本当に亜由子が「ごめんなさい」と頭を下げたので驚いた。

「どうしたの？」

「実はそのページ、急遽《きゅうきょ》、私に変わったの。『亜由子ママの大忙しの一日』っていうんだけど、石田さんから是非にって頼まれたものだから、断れなくて。後で元は奈央さんのページだったって聞いて、何だか申し訳なくて」

奈央は慌てて「そんなの、ぜんぜん」と首を横に振った。しかし、隣からは強烈なエネルギーが立ち昇っている。「この私を差し置いて！」という葵の怒りが手に取るように伝わって来るのだった。

8

その事件が起こったのは、梅雨が明け、夏の陽差しが街に降り注ぎ始めた頃である。

ミーナさんの後継者候補だったナンバー2とナンバー3のモデルが、スタジオで大喧嘩を始めたのだ。

その騒ぎは、隣のスタジオで『アクセサリーで手持ち服をワンランク上げる』の撮影をしていた奈央たちにも届いた。

まずヘアメイクのトモさんがわくわくしながら飛んで行き、次にスタイリスト、それからデスクの洵子が様子を見に行った。そうなると、カメラマンも奈央たち三人も撮影に身が入らず、結局は中断して見物に出掛けた。

スタジオ前はすでに人が集まっている。中を覗くと、ホリゾントの前でナンバー2とナンバー3が対峙しているのが見えた。

「言い掛かりはよしてよ！」

ナンバー3のモデルが金切り声を上げた。

「あーら、あなたが犯人なんて誰も言ってないでしょ。でも、そんなふうに聞こえるのは身に覚えがあるからじゃないかしら」

ナンバー2のモデルがしゃあしゃあと答えている。

奈央はトモさんの袖口を引っ張った。

「何があったの？」

「あのナンバー2が着る予定だったチュニックの裾が破れていたらしいの」

「へえ」

「それで、ナンバー3に『最近、あなたと撮影するとちょくちょくこういうことがあるのよね』と言ったら、『それどういう意味？』で、『自分に聞いてみたら』で、こうなったわけ」

トモさんから事情を聞いている間にも、ふたりの言い争いはエスカレートしてゆく。担当編集者やカメラマンが止めても、ふたりの耳には届かないようだ。

またナンバー2が言った。

「スタイリストも嘆いてたわよ。この間もネックレスの糸が切れてたって」

ナンバー3も負けてはいない。

「それが私にどういう関係があるわけ。スタイリストの管理の問題でしょ。私に責任転嫁するのは筋違いじゃないの」

「でも、あなた以外のモデルと一緒の時は、こういうことはないのよね」

ナンバー3の顔色が変わった。

「だったらはっきりした証拠を見せなさいよ。憶測だけで私を犯人扱いするなら名誉毀損で訴えてやる」

「やあねえ、どうしてそうムキになるわけ？　いっそうあなたの仕業みたいに思えてくるわ」

奈央はまたもやトモさんの袖口を引っ張った。

「このふたり、いつもこんなにモメてるの？」

「まさか。まあ、お互い仲が悪くて陰口を言いまくってるけど、表面上はオトモダチを装ってる。面と向かってっていうのは初めてよ。いつかやるとは思ってたけどさ」

ふたりとも般若の顔つきだ。誌面で見せる美しい笑顔など想像もつかない。

ここで、言われっぱなしだったナンバー3が逆襲に出た。当然ながら、ギャラリーが集まっていることを承知の上だろう。

「あなた、私を陥れてまでミーナさんの後釜に納まりたいわけ？　だったらそうすればいいじゃない。でも、そうなったらいろいろ面倒が起こるかもしれないけど」

ナンバー2が怪訝な表情をする。

「だって『ヴァニティ』の顔となる人が、美容整形しまくりだってことがバレちゃ、読者も失望するでしょう」

「面倒って何よ」

「え……」

ナンバー2の頬が強張った。

「みんな知ってるわよ。メイクさんなんて、鼻のプロテーゼがずれないようメイクするのが大変って、いつも言ってる。ねっ」

相槌を求められたメイクさんが「いえ、私は、そんな……」と焦っている。

「あなたの中学時代の友達を知っているけど、あの頃とは別人になったって言ってたわよ」

「あの頃は今より二十キロも太っていたから、違っていて当然なの」

「どんなに太ってたって、鼻の形は変わらないんじゃないの？　何なら、その人に頼んで中学時代の写真、持って来てもらいましょうか」

キレたのはナンバー2が先だった。「切り裂き女がえらそうに！」と叫んで、ナンバー3の頬に平手打ちをくらわした。もちろんナンバー3も負けてはいない。「何すんのよ！　この整形女」と、その倍くらいの強さで平手打ちを返した。ナンバー2がナンバー3の髪を引っ張り、ナンバー3はナンバー2の肩を摑む。このままだと取っ組み合いの喧嘩になる。カメラマンとそのアシスタントが慌ててふたりを背後から羽交い締めにした。

そして、担当編集者が叫んだ。

「今日の撮影は中止。撤収！」

スタジオに戻っても、奈央の興奮はなかなか冷めやらなかった。

トモさんは妙に楽しそうにしているし、洵子はため息を繰り返しているし、葵は「すごいわね」と感心しているし、亜由子は「怖いわねえ」と首をすくめている。奈央はただただ圧倒されていた。

この世界は、華やかさや美しさの陰で、モデルたちのさまざまな思惑が交錯していることぐらい、もちろん知っている。それでもこうして目の当たりにすると、想像を超えたものだとわかる。女の戦いはご近所付き合いやＰＴＡにもあるが、それとはあまりにもレベルの違う強烈さだ。

その日、奈央たちの撮影は順調に終わったが、何だかすっかり疲れ果て、いつものようにお喋りに興ずることなく、三人とも早々とスタジオを後にした。

半月後、奈央は『ビューティ・チャレンジ』企画で、ウォーキングを体験した。

背筋を伸ばす、歩幅を広げる、腕を大きく振る、くらいは知識としてわかっていたつもりだが、さすが専門家に指導を受けると違う。汗もいつもの倍は出る。

正しい姿勢での歩き方を体得することは、美しく見えるだけでなく、ダイエット効果にも大きく繋がる。

帰ってから、家でレポートを書いた。意気込んでパソコンに向かったものの、何を書いていいのかわからない。レポートなんて学生時代に書いたきりだ。たった四百字詰め原稿用紙一枚なのに、結局、三日もかかってしまった。

その原稿も、洵子に三回も書き直しを命じられたが、何よりホッとしたのは今回はボツにならず、誌面に載ると決まったことである。肩の荷が下りたような気分だった。

それと、せっかく本格的なウォーキング法を習ったのだからと、夫と息子を送り出してから、前にも増してウォーキングに励むようになった。

体重は三キロ落ちたものの、目標マイナス五キロにはまだ二キロ足りない。この正しい姿勢のウォーキングで、次の撮影までには絶対に落とそうと決意していた。

「やればできるじゃない」

トモさんが鏡の中で目を細めたので、奈央は嬉しくなった。

「頑張ったもの」

「ずいぶん顔の輪郭が変わったわ。目も大きくなったし、顎のラインもすっきりした。服のサイズも落ちたんじゃない？」

「おかげさまで」

体重は目標通り五キロ、ウエストは四センチ減った。スカートもパンツもゆるゆるだ。もちろん、以前六八センチあったことは誰にも言っていない。

「カメラマンも言ってたわよ、最近、奈央さん、綺麗になったたって」

「ほんと？」

「半分はお世辞」

「あ……そう」

「でも、半分は本当ってこと。あとは二の腕と太ももね。ここは鍛えて締めなきゃ駄目よ。痩せるだけじゃたるんたるんになっちゃうから」

よし、明日から筋力トレーニングもしっかり頑張ろう。

自分も変わったものだと奈央は思う。以前はつい「面倒臭い」「しんどい」という気持ちが先に立ち、ダイエットを地道に続けることができなかった。頑張ってもなかなか成果が出ないということもあったと思う。何より、結果を早く求め過ぎて、変わらぬ数字に苛々し、途中で挫折するということの繰り返しだった。けれどもこうして数字が目に見えてくると、俄然やる気が湧いて来る。トモさんに褒められるのも嬉しいし、カメラマンの「綺麗になった」の言葉も——たとえ半分はお世辞でも——すごく励みになる。

今日は『大人カットソーで秋を先取り』の撮影である。

スタイリストさんはもう馴れたもので、奈央のために何枚か用意してくれている。とりあえず奈央も手持ちのものを持参してきたが、相変わらず葵や亜由子に較べるとあまりに見劣りするので、今回も使われることはないだろう。

亜由子は前回の『亜由子ママの大忙しの一日』の評判がよく、今月も継続されることになったと聞いた。お気に入りの石田副編が担当ということもあって、亜由子の機嫌はすこぶるいい。

それに対して、葵の身体からは不機嫌さがほとばしっている。もっともだと、奈央も思う。この三人の中で、葵がいちばん美人でスタイルがいい。どうしてこの自分を差し置いてふたりに誌面が与えられるのか、と納得できない気持ちなのだろう。

けれども、お嬢さま育ちの亜由子はまったく気がつかず、いつもの調子で葵に話し掛けている。

「ほら、企画が企画だから、自宅での撮影になるでしょう。お洋服だけじゃなくて、お部屋も綺麗にしなくちゃいけないし、テーブルセッティングにも気を遣うし、ほんと大変なの」

葵はますますぴりぴりする。その様子を見ながら、奈央はひたすらコーヒーを飲むしかない。早く撮影が始まって欲しいのだが、こんな時に限って、洵子の姿がまだ見えない。撮影の時は、いつもいち早くスタンバイしているのに、遅刻するのは珍しい。

「編集部で緊急会議が開かれてるらしいよ」

と、言ったのは山下カメラマンだ。

「あら、会議って？」

山下から声を掛けられたとあって、葵が少し機嫌を直し、目を向けた。

「ほら、この間ナンバー2とナンバー3がトラブったただろう。その件についてらしい」

「ああ、あれは強烈だったわよね」

「ほんと、怖かった」

亜由子が頷く。それを無視して、葵が山下に話し掛ける。

「ねえ、あのふたりが言ってたことだけど、ミーナさん、表紙を交替するって本当なの？」

「さあ、本当かなあ」

「嘘なの？」

「そうとも言えないなぁ」

「どっち？」

「うーん、難しい問題だなぁ」

そんなことを言っていると、ようやく洵子が姿を現した。

「遅れてすみません。じゃ、始めましょうか」

それぞれにスタンバイし、すぐに撮影は開始された。

――二時間後、隅のテーブルで奈央と亜由子はコーヒーを飲んでいた。撮影は終了し、もう帰ってもいいのだが、何となく席を立てないでいる。今しがた、葵が洵子に呼ばれて別室に行ったからだ。

話の内容は何だろう。もしかしたら葵も何かしら企画を提案されるのかもしれない。

そうなっても少しも不思議ではないと思いながら、奈央も落ち着かない気持ちだった。幸運にも『ビューティ・チャレンジ』というページを貰ったが、亜由子の企画も人気が高いし、これで葵まで何かしら始めることになったら、自分などあっという間に不要になってしまうだろう。

美貌もスタイルも持物も、とてもふたりにはかなわない。それでも石田副編からは以前、三人の中で読者の評判がいちばんよかった、と言われた。もうずいぶん前のアンケートだが、それを頼りに自分も頑張れるのではないかと思ってきた。でも、再び自信はぐらついている。

ようやく葵が戻って来た。

「何のお話だったの？」

亜由子が尋ねる。

「ううん、大したことじゃないの」

そう答える葵の表情は、撮影が始まる前とは別人のように晴れやかだ。

「あら、コーヒーがからっぽじゃないの。おかわり、私が持ってきてあげる」

葵があまりににこにこしながら言うので、奈央は少し気味が悪くなった。

真相を知ったのは、次の撮影の時だった。

もちろん情報源はトモさんだ。

「えっ、ほんとに」

奈央は思わず声を上げた。

「あら、知らなかったの？」

「初めて聞いた」

「ない話じゃないわよね。ま、めったにあるわけじゃないけど」

葵が読者モデルから『ヴァニティ』の専属モデルになるというのである。

専属モデルとなれば、巻頭の特集ページなどに登場することになる。もちろん着るのは手持ちの服ではなく、有名ブランドのものだ。服だけじゃない、バッグも靴も、時計も宝石もみんなそうだ。つまりプロのモデルということだ。

「例のナンバー2とナンバー3のふたり、次の契約は更新しないことになったの。ま、しょうがないけどね」

「やっぱり原因はあの喧嘩で？」

「問題は原因じゃない。スタイリストの借り出したものに支障が出たり、モデルが美容整形してたり、そんなのはよくある話よ。だけどそれは暗黙の了解でのことよ。表沙汰にしちゃったら終わり。あのふたりは禁断の掟を破っちゃったってこと」

「そうなんだ」

「それにしても、葵さんは大抜擢《だいばってき》よね」

「そうね」

前回のにこにこ顔は、洵子からそれを告げられたからだったのだろう。

「悔しい？」

トモさんに覗き込まれて、奈央は慌てて首を振った。

「まさか。葵さんと私じゃ較べ物にならない、土台が違うもの」

「ま、そうよね」

そうはっきり言われると落ち込んでしまう。トモさんが小さく吹き出した。

「でも、人気モデルっていうのは、美人でスタイルがいいってだけじゃないのよ。特に女性誌のモデルはね。ミーナさんだってそうでしょ。背もそんなに高くないし、確かに顔立ちは整ってるけど地味目だし。どこか足りないところがあってこそ、読者の共感を呼ぶの」

「それ、私を慰めてくれてるの？」

トモさんが思わず笑い声を上げた。

「そんなわけないでしょ。あなたはまだまだ磨かなきゃ駄目。そんなんじゃ読者モデルもクビになるわよ」

奈央は首をすくめるしかなかった。

その後、撮影で顔を合わせた亜由子に葵の件を告げると、一瞬目を丸くしたものの、すぐに満面に笑みを浮かべた。

「まあ、素敵。葵さんならそうなって当然だわ。今度会ったらおめでとうって言わなきゃ」

天真爛漫な亜由子が、その時ばかりは少し羨ましかった。

9

今日は智樹の担任との面談があった。大した問題はなく、成績もまあまあということで、ホッとしながら保護者用の玄関に向かうと、ミーナさんと顔を合わせた。

「あ、こんにちは」

奈央はどぎまぎしながら頭を下げた。相変わらず素敵だ。どうということのないグレーのジャケットスーツなのに垢抜けている。

「奈央さんも面談?」

「はい。ミーナさんも?」

「そうなの。今、終わったところ」

そう答えてから、ミーナさんは思いついたように付け加えた。

「ねえ、よかったら、これからうちに遊びにいらっしゃらない？」

「え……」

突然の誘いに戸惑ってしまう。

「いいんですか？」

「もちろんよ、よかったらぜひ」

緊張するが、興味はある。こんなチャンスはそうはないはずだ。夕飯の買い物のことがちらっと頭を掠《かす》めたが、忘れることにした。

玄関を出て、駐車場に止めてあるミーナさんの車に案内された。それが国産のハイブリッドカーというのは意外な選択に思えた。高級外車、というのを何となく想像していたからだが、いや、やはりこれがミーナさんらしいと言えるのかもしれない。

三十分ほど走らせて、到着したのは目黒の大きな公園の近くにある一軒家だった。白壁とテラコッタが印象的な南欧風の二階家は、洒落た造りで目を惹く。人気小説家の夫とカリスマモデルの妻という組み合わせなら、これくらいの家も当然手に入るのだろう。などと考えていると、見透かしたようにミーナさんが言った。

「ここは主人の両親の土地なのよ。ほら、お隣が義父母の家」

顔を向けると、和風の重厚な造りの家がある。花壇の手入れがよくされていて、クレマティスやクチナシといった夏の花が咲いていた。ふたつの家の間には塀も柵もなく、確かに地続きだ。

「さあ、どうぞ」

促されるまま玄関に入った。LDKは二階で、らせん階段を登ってゆく。二階に着くと、窓から明るい日差しが差し込んでいた。

「飲み物を用意するわね。コーヒー、紅茶、日本茶があるけど、どれがいい？」

「じゃあ紅茶をいただきます」

ソファに腰を下ろしたものの、ついそわそわと部屋の中を観察してしまう。漆喰《しっくい》の壁と落ち着いた色合いのフローリング、ソファやダイニングテーブルはシンプルな無垢材でまとめてあり、全体的にナチュラルな雰囲気だ。これがたとえばモノトーンで統一したモダン系や、花柄やレースを使ったロマンチック系だったら、それが悪いというわけではないが、何だかがっかりしたような気がする。

やがて、トレイに紅茶を載せてミーナさんがやって来た。

「モデルの仕事、もう慣れた？」

ソファに座って、向かい合う。尋ねられた奈央は首をすくめた。

「まだまだです。今もカメラの前に立つと緊張しちゃって」

ミーナさんがほほ笑む。

「私だってそうよ」

「ミーナさんも？」

「カメラって、顔や服だけじゃなくて、その時の自分の中身まで映してしまうでしょう。体調が悪かったり、悩みを抱えていると、どんなにメイクで誤魔化しても、やっぱり出てしまうの」

「へえ、そういうものなんですか」

「奈央さんも、すぐわかるようになるわ」

ミーナさんは笑ってゆったりと紅茶をすすり、ふと、思い出したように顔を向けた。

「そうそう、この間は、大変だったわね」

何のことを言っているのかすぐにわかった。例のナンバー2とナンバー3の大喧嘩の話だ。

「ええ、最後は殴り合いだったから、私もびっくりしちゃって」

「本当に馬鹿なことをしたものね。それが原因でふたりとも契約更新されなくなったんだから、今頃、すごく後悔してるんじゃないかしら。まあ、そのおかげと言っては何だけど、私の卒業もしばらく先延ばしになったの」

「本当に！」奈央は思わず声を上げた。「やっぱり『ヴァニティ』はミーナさんが表紙じゃなきゃピンと来ないです」

ティーカップを手にしたミーナさんがわずかに笑う。

「そう言ってもらえるのは嬉しいけど、でも、いつまでも続けられるわけじゃないこともわかってる。ただ、後を別のモデルに任せるわけだから、やっぱり納得できる人に引き継いで欲しいなって思ってるの。そうそう、奈央さんと一緒に読者モデルになった人、今度、専属モデルに抜擢されたんですってね」

「葵さんです、坂下葵さん。綺麗でスタイルもよくて、専属になっても当然だってみんな言ってます」

「彼女も候補のひとりになったんじゃないかな」

「え、そうなんですか……」

「奈央さんは、どうなの？」

奈央はゆっくりと顔を向けた。

「表紙モデルを目指そうとは思わないの？」

しばらくぽかんとし、奈央はそれから慌てて首を振った。

「まさか、そんな」

「なる気はないの？」

「ミーナさんったら、からかわないでください。私みたいなのがなれるわけないじゃないですか。読者モデルになったのさえ奇跡だって言われてるんですから。冗談でもそんなことを言ったら、みんなに笑われます」

「そうかしら」

ミーナさんが首を傾げる。

「ファッション誌のモデルは、ショーモデルとは違って、美人でスタイルがいいってことが条件じゃないの。私を見ればわかるでしょ。背もそんなに高くないし、目鼻立ちも平凡だし」

「そんなこと……」

「謙遜してるわけじゃないの、本当にそうだから言ってるの。つまり、奈央さんだって可能性がゼロってわけじゃないってことを言いたかったのよ。ねえ、本当にまったく意識してない？」

「してないです、そんなこと」

ミーナさんは一度じっくり奈央の顔を眺め、やがて短く息を吐いた。

「そうは見えないけどな」

そんなことを言われても困ってしまう。

「この世界に足を踏み入れたら、誰もが否応なしに競争に巻き込まれてゆくの。それまで普通の奥さんだった人も、いつの間にか『負けられない』って気持ちになってる。私もそうだった。子供の手が離れて、最初はアルバイト気分で始めたのに、気がつくと、どうせならトップに立ちたいって思うようになってたもの。でもね、そうなって当然じゃないかな。そういうモデルとしての思いが、結局、いい誌面を作ってゆくことになるんだから」

奈央は黙った。ミーナさんの言っていることはとても危険に感じた。確かに、葵が表紙モデルの候補になったと聞いた時、気持ちの中に小さな亀裂が走るような痛みを感じた。でも、そんなことを思うこと自体、身の程知らずと言われるだろう。負けたくない、という思いを持つにしても、ある程度のレベルが必要だ。葵と自分では、あまりに差がある。

「本当にこのままでいいと思ってる？　そんな気持ちじゃ、次の新しい読者モデルが選ばれた時にはもう、あなたは『ヴァニティ』では要らない存在になってしまうかもしれないわよ」

どう答えていいかわからず、奈央は膝の上で組んだ自分の指を見つめた。ついさっき、読者モデルに選ばれたこと自体奇跡のように言われている、と言ったはずなのに、そんな簡単に辞めさせられたくはない、という思いもすでに膨らみ始めている。

「ふふ、ちょっと意地悪だったかな。ただ、そろそろそういうことも頭に入れておいてもいいかなって気がしたの。あんまり気にしないでね——それより、今日奈央さんを誘ったのは、貰ってもらいたいものがあったからなのよ。ちょっと待ってて」

そう言ってミーナさんは階下に行き、戻って来た時には大きな紙袋を提げていた。

「これ、よかったら使って。服とかアクセサリーなんだけど、奈央さんなら似合うと思うのよ。まだ未使用のものばかりだから」

「私に？」

「南城編集長から聞いたの、奈央さん、私物でいつも困ってるって。スタイリストに頼ってばかりっていうのも肩身が狭いでしょう。私も経験があるからわかるの。ギャラなんて安いものだし、そうそう新調できないものね。気を悪くしたらごめんなさい」

「そんな、とんでもないです。本当にいいんですか、私がいただいても」

「もちろんよ。ほら、私と奈央さんって何となくテイストが似てるじゃない。使ってもらえたら私も嬉しいわ。ただ、このことはみんなには内緒ね」

奈央はすっかり感激していた。服やアクセサリーを貰ったことだけでなく、ミーナさんの口から「テイストが似てる」と言われるなんて、最高の褒め言葉のような気がした。

それから三十分ほどして、腰を上げた。まだまだ話していたい気持ちだが、もう陽も翳《かげ》り始めている。

ミーナさんに見送られて玄関を出ると、門から足取りも怪しい男がふらふらと入って来た。一瞬、緊張したが、ミーナさんが駆け寄って行く姿を見て、ああ、と思った。あれは小説家の沢口和真《かずま》、ミーナさんの夫だ。まだ明るいというのに、どうやら相当酔っているらしい。ミーナさんが夫の腕を肩に回し、抱えるようにしてこちらに歩いて来る。

その時、隣の家から年配の女性が出てきた。どうやら義母のようだ。

「あらあら、和真さんたら」

義母は言いながら、ミーナさんからその身体を引き受けようとした。

「おかあさま、うちで寝かせますから」

「いいのよ、母屋で休ませます。美奈子さん、お仕事なさったらいいじゃない」

「今日は家にいますので」

「あなたったら、自分の都合のいい時だけいい奥さんになろうとするのね。それってちょっと調子がよすぎないかしら」

ミーナさんは足元に目線を落とし、やがて夫を義母に引き渡した。

「さあ和真さん、うちでゆっくりなさい。留守がちの奥さんに、大事なあなたを任せてなんかおけないわ」

いつの間にか門の横に男の子が立ち、こちらの様子を眺めていた。ミーナさんの息子だった。その表情の硬さに思わずどきりとした。

見てはいけないものを見てしまったような思いにかられて、奈央は慌てて「じゃあ、私はこれで」と頭を下げ、男の子の横を通り過ぎて外に飛び出した。

少し歩いて、振り返った。洒落た赤い屋根は、この辺りでもよく目立つ。

ミーナさんはカリスマモデルとして、多くの女性ファンから支持されている。みんなの憧れで、みんなの目標でもある。でも、沢口美奈子として生きるもうひとつの姿が、確かにここにあることを奈央は痛切に感じていた。

それからしばらくして、撮影に行くと控え室からやけに賑やかな声がして、奈央は足を止めた。

中を覗き込むと、数人のモデルたちがお喋りに興じていた。中心には華やかな巻き髪と原色に近いプリント模様のブラウスを着た女性がいる。

「あの人は確か……」

「そう、安永舞子《やすながまいこ》よ」その声に振り向くと、トモさんが立っていた。

「テレビのコメンテーターしてる人よね。ライフスタイルのエッセイ本なんかも出したりする」

「ナンチャッテ文化人ってやつね。彼女、以前に『ヴァニティ』でモデルをしていたことがあるの」

「へえ、そうなの」

「短い間だけどね。いろいろあって、すぐにテレビの世界に行っちゃったから」

トモさんと並んで自分たちが使うスタジオへと向かった。今日は『上級着回しテクを身につける』の撮影である。トモさんにメイクを施されながら、奈央は尋ねた。

「でも、どうしてあの人が？」

「『ヴァニティ』のモデルに復帰することになったのよ。つまり、ミーナさんの後釜候補のひとりってわけ。ま、やる気まんまんじゃないの。敵討《かたきう》ちみたいな気持ちもあるだろうし」

「敵討ち？」

「それがさ」と、トモさんはいくらか声を潜めた。

「安永舞子は以前、ミーナさんとライバルだったの。年は五歳ぐらい下なんだけど、絶対に自分が表紙になれるって思い込んでいたの。それがミーナさんに決まったものだから、二番手になるのが悔しくて、テレビの方に行っちゃったって経緯があるの」

「そうなんだ」

「もともと口は達者だし、何しろ、あの派手な顔立ちとバブルっぽいファッションでしょ、いかにもテレビ向きじゃない」

「まあ、確かに」

「ミーナさんが卒業するって噂を聞きつけて、南城編集長に声を掛けてきたってわけ」

安永舞子はミーナさんとは対照的で、どちらかと言うと押しの強いキャラクターだ。それでも主婦層にはそれなりの人気がある。テレビに出ているということで知名度も高い。次の『ヴァニティ』の顔になれば、読者層が広がる可能性もあるだろう。

「ねえ、今日の服、やけに素敵じゃない」

不意にトモさんに言われて、奈央は思わず口元をほころばせた。

「そう？」

「いつもと違って洗練されてる感じ」

先日、ミーナさんから貰った服だ。何気ない黒のミニワンピなのだがラインが美しい。細めのデニムに合わせると、スタイルも抜群によく見える。やはりミーナさんのセンスは群を抜いているのだと、再認識した。

そのメールが届いたのは、『ビューティ・チャレンジ』でラテンダンスの体験に行き、レポートで頭を悩ましている最中だった。

差出人の名前はなく、件名は〈ご参考までに〉と書いてある。添付もある。開く前から何だか嫌な感じがした。

予感は当たった。いや、当たらなかったと言った方がいいかもしれない。嫌な感じ、という以上に、衝撃的な写真が添付されていたからだ。

写っているのは、葵と、山下カメラマンだった。

まず並んで歩くふたりの写真。身体を密着させ山下カメラマンの手が葵の腰に回っている。次に車の中でキスをしている写真。それから、その車がラブホテルに入ってゆく写真。

生々しくて、どぎまぎしてしまう。

何でこんなものが……いったい誰が……。

そう思いながら、目は写真から離れない。

奈央のところにだけ送られて来たとは考えられなかった。たぶん関係者すべてに送っているのではないか。モデルたち、編集部、他のカメラマンやヘアメイクやスタイリスト、そして、もしかしたら葵のご主人にも。

それを想像すると急に心臓が鼓動を速めた。

10

翌週、スタジオに行くと、廊下の奥のカフェコーナーから、亜由子が大きく手を振った。近づくと、待ちかねたように、興奮気味に話し始めた。

「ねえ、奈央さんのところに写真来た？」

「ええ」

戸惑いながらも、奈央は頷いた。

「やっぱり。私のところにも来たの。もうほんと、びっくり。それでね、さっきスタイリストの人に聞いたんだけど、『ヴァニティ』関係者にはほとんど送られたみたい。あんな写真、大っぴらにされて、葵さん、これからどうするのかしら」

奈央にもわからない。芸能人というわけではないが、やはりスキャンダルはマイナスに作用するだろう。何と言っても、葵も山下カメラマンも結婚している。いわば、不倫だ。

「でも、まさか葵さんと山下カメラマンがそんな間柄だったなんて……仲がいいのはわかってたけど」

「私もびっくりだった」

「スタイリストさんったら自業自得だなんて言うのよ、ひどいわよね」

しかし、そう思われても仕方ないかもしれない。葵は確かに、大胆に振舞っていたところがある。人前でもはばからず山下カメラマンにべたべたしていた。それをあまり好意的に見ていない人もいたはずだ。

「葵さん、大丈夫かしら。スタジオに来づらくなっちゃうんじゃないかしら」

「そうかもね」

「私、励ましのメールを送っておいたの。一緒に読者モデルに選ばれた仲だもの。せめて、私たちが味方になってあげないとね」

奈央は正直、亜由子の気配りに感動すら覚えていた。自分はそこまで気が回る余裕はなかった。

そんなことを話していると、廊下の奥でエレベーターのドアが開いた。何気なく目をやると、現れたのは安永舞子と、その取り巻きのモデルたちだった。

舞子は、奈央たちに目を止め、わざわざ近づいて来た。

「葵さんって、あなたたちと同期で読者モデルになった人よね」

舞子は化粧も濃いが、ファッションも派手だ。大柄のプリントシャツと、フリンジがたくさんついた大振りバッグ。それにヒールが九センチはありそうな夏用の白いロングブーツを履いている。

「そうです」

亜由子が緊張気味に頷いている。

「私もいただいたわよ、ツーショット写真。最近の読者モデルはご発展ねえ。スタジオを男漁《あさ》りの場所と間違えているんじゃないかしら」

くすくすと、一緒にいるモデルたちが笑っている。彼女らは『ヴァニティ』専属ではないがプロのモデルで、競合しない女性誌や、通販や広告などの仕事をしている。時折、掲載を目にすることがあるが、もちろん彼女たちも、表紙モデル候補には違いない。

「それとも、読者モデルから専属モデルになるためには、それぐらいのこと、平気でやっちゃうってことかしら。カメラマンを味方に付けると、いい写真を撮ってもらえるものねえ」

奈央も亜由子も黙り込む。

舞子がふと、口元に皮肉な笑みを浮かべた。

「ほんと、あなたたちって、女の武器を平気で使う世代なのね。感心しちゃう」

さすがにカチンと来て、奈央は言い返した。

「勝手に決めつけないでください」

舞子がゆっくり顔を向けた。美しい顔立ちには違いないが、その目つき、その表情には、性格がよく出ている。

舞子は、奈央に言い返されたことで、相当気分を害したのか、口調をきつくした。

「何にしても、写真は正直よ。すべてを物語ってる。だいたいね、こういうことは『ヴァニティ』の恥なのよ。この雑誌は品のよさが売りものなの。こんなことがあったら、業界内でどんな噂を立てられるかわかったもんじゃない。読者への裏切り行為でもあるはずよ。そういうことが何もわかってないから、素人モデルは困るのよ」

悔しい気持ちはあるが、言い返せない。まるで上級生に呼び出された下級生になったみたいだった。

「そのくらいにしておいてあげたら」

その声に顔を向けると、スタジオからミーナさんが顔を出した。

「あら」

舞子がちらりと目を向けた。

「あら、お久しぶり、ミーナさん」

舞子がにっこり笑い掛ける。

「舞子さん、お元気そうね。復帰されたと聞いて、お会いするのを楽しみにしてたのよ」

「まあ、光栄だわ。看板モデルのミーナさんからそんなこと言ってもらえるなんて。これから、またこちらでご厄介になりますので、どうぞよろしく」

舞子がわずかに頭を下げる。長い巻き髪が肩ではらりと揺れる。

「こちらこそ」

ミーナさんもにこやかに応えている。

しかし、そこには熱い火花が――と、感じたのは奈央だけではないはずだ。

その日、葵はスタジオに現れなかった。


週末、家族揃ってしゃぶしゃぶを囲んだ。

平日、智樹は部活で遅いし、伸行は仕事が忙しく、なかなか三人一緒に食卓を共にできない。久しぶりの家族団らんに、食卓は華やいだ。

そんな中にいながら、奈央はぼんやりと、写真のことを思い返していた。

最初は、衝撃的なツーショットにどぎまぎするばかりだったが、今は「いったい誰の仕業か」という興味の方が深まっている。

まず考えられるのは、葵に悪意を持っている人間だということだ。たとえば、読者モデルから専属モデルに格上げになったことを快く思っていない人間。

咄嗟《とっさ》に思い浮かんだのは、安永舞子だった。今、ミーナさんの後継者にいちばん近い存在と言われている。とすれば新しい候補者の存在は目障《めざわ》りに違いない。しかし、いくら何でもそこまでやるだろうか。舞子にはそれなりの立場があるし、葵はまだ専属モデルになりたてで、ライバル視するほどでもないはずだ。それくらいなら、自分を取り巻いているプロのモデルたちの方がよほど気になるだろう。

もしかしたら、山下に恨みを持つ者の仕業ということも考えられる。カメラマンという職業柄もあって、山下は女性にモテるに違いない。三角関係のもつれ、ということもあるかもしれない。

でも、どちらにしても、関係者全員にメールを送ってきたということは、全員のアドレスを知っているということだ。そんな人はそうはいないはずだ。知っているとしたら、編集部の人たちぐらいだ。しかし、編集部の誰かがそんなことをするはずがない。いったい何のプラスになる。『ヴァニティ』にとっていいことは何もないはずだ。

では、いったい誰が……。

「……だろう」

伸行に声を掛けられ、奈央は我に返った。

「えっ、何？」

「何だ、聞いてなかったのか」

「ごめん、ちょっとぼんやりしてた」

「今度の智樹の試合に応援に行こうって話だよ」

「あら、試合があるの、いつ？」

奈央は智樹に顔を向けた。

「まだ先の話だよ。前にもそのことは言ったろう。でも、応援なんか来なくていいから」

智樹がぶっきら棒に答える。

「行くわよ、行く、行く。張り切ってお弁当を作るから」

奈央はとりなすように快活に言った。

夕食の後片付けを終えると、ソファでテレビを観ていた伸行が振り返った。

「なあ、ママ」

「何？」

奈央は明朝のために米を磨ぎ、炊飯器にセットしているところだった。

「最近、智樹のこと、おろそかになってないか？」

「え……」

思わず手を止めた。

「試合のことだって、忘れてただろ」

「ああ、つい」

「最近、料理も手抜きのような気がするんだけど」

「……今日のしゃぶしゃぶは智樹のリクエストだったから」

とは言え、ここのところ鍋のような材料を揃えるだけで済む食事を用意しがちなのは確かだ。スーパーで買ったお惣菜を並べることも、前より増えている。『ビューティ・チャレンジ』のコーナーを受け持ってから、取材に出ることも多くなったし、それに関連した本を読む必要もあるし、何よりレポートを書かなければならない。想像していたより、ずっと時間が取られるようになっていた。

「モデルもいいけど、家のことも頼むよ。智樹も難しい年頃なんだからさ」

正直を言えば、小さな反発がないわけではなかった。だったらウィークデイにもっと早く帰ってきて家族で一緒に食卓を囲んでよ、と言いたかった。

しかし、その時、ミーナさんの家で見た光景が思い出された。酔った夫と、それを醒《さ》めた目で眺めていた息子。ミーナさんは憧れの存在だが、自分にとっていちばん大切なものが何なのか、奈央はちゃんとわかっているつもりだ。

「うん、ごめんね。これから気をつける」

奈央は素直に謝った。

家族を犠牲にしてまで、モデルの仕事に気を取られるようなことはしたくない。

「葵さん、やめたんだって」

「えっ」

奈央は鏡の中でトモさんと目を合わせた。

あれから二週間がたった。今日は『この冬、買い足したい一着はコレ』の撮影のため、トモさんにメイクを施されている。

「本当に？」

「昨日、南城編集長に申し入れたんだって。何でも、ご主人が急にニューヨーク本社に戻ることが決まったからってことらしいけど。ま、もちろん、言い訳よね」

「そう、葵さん、やめたんだ……」

専属モデルになって、あんなに喜んでいたのに、内心、どんなに悔しい思いをしているだろう。

「もったいないわよねえ、これからって時に。南城編集長もせっかくいい素質だったのにって、残念がってた。でも、あんな写真をばら撒《ま》かれたんじゃ、葵さんもさすがに続けられないわよね」

「カメラマンの山下さんは？」

「ああ、彼は平気よ、いつも通りに仕事をしてる。浮気写真なんて、むしろ勲章みたいに思ってるわよ。そういう男なんだから」

「ふうん」

何となく釈然としない気持ちがあった。こういう世界でも、やはりリスクが高いのは女の方なのだろう。

「だから、ターゲットは葵さんね。山下さんじゃない。それは間違いないと思う」

「いったい誰が」

奈央は呟いた。

「それが謎なのよねえ」

さすがに情報通のトモさんも、首を傾げるばかりだ。

「あそこまで手の込んだことやるんだから、相当の執念を持ってることだけは確か」

「そうよね」

「恋愛がらみか、仕事がらみか」

「トモさんは、どっちだと思う?」

「判断は難しいわね。でも、どっちにしても『ヴァニティ』に関わる人間がしでかしたことだけは確かよ。送り付けられた先がみんな『ヴァニティ』関係者なんだから」

女性誌の世界は、美しさと華やかさに満ちている。高価な宝石から、スタイリッシュなファッションまで、何もかもため息が出るようなきらびやかさだ。それを選ばれた女たちが身にまとい、蝶のように優雅に振舞っている。きめ細かな肌。長い睫毛。形のいい唇はいつも笑みを絶やさない。それでも、その裏側には、さまざまな思惑や嫉妬や野望が潜んでいる。美しいもくろみが罠を張っている。

やがてメイクが終了した。

「はい、じゃあ次は亜由子さんね。悪いけど、呼んできてくれる?」

トモさんに言われて、奈央はメイク室を出ると、カフェコーナーに行った。時間つぶしはたいがいそこと決まっている。しかし、亜由子の姿はなかった。洗面所を覗いてみたが、やはりそこにも姿はない。隣のスタジオにもいない。まだ来ていないのだろうか。亜由子はいつも時間に正確だ。もしかしたら外にでも出たのだろうか。奈央はふと、階段に続くドアを開けてみた。

一階下の踊り場辺りから声が聞こえてくる。亜由子だろうかと、奈央は階段を下りて行った。

「君なんだね」

硬い声がして、奈央は思わず足を止めた。聞き覚えがある声だ。

「いいえ、違います」

これは亜由子に間違いない。

「君しか考えられないんだ」

相手が石田副編だと気がついた。

「どうしてですか。私がやったっていう証拠でもあるんですか」

亜由子の言葉に、奈央は足を止めて、立ち尽くした。立ち聞きなどしてはいけない、そう思いながら、その場から動けない。

「君が、僕の携帯から、関係者のアドレスを盗んだんだろう。覚えてるよ、相談があるって言われて、君を家まで車で送って行った時のこと。その帰り、携帯電話がなくなっていることに気がついた。あの時は、編集部かスタジオに忘れたんだろうと思っていた。でも、君が僕の鞄から抜き取ったんだ。チャンスはあった。途中でお茶を飲んだ時、僕はトイレに立った。鞄は席に置いたままにした。次の日、君は用事もないのに、スタジオに来ていたね。あれは僕の携帯を戻すためだったんだ。確かに、スタジオの隅に僕の携帯はあった。だから、僕はやっぱり忘れたんだと思ってた」

「あれは、前の日に撮影した時、私物を置いてきたから、それを取りに行っただけです」

「写真がばら撒かれたのはその二日後だ」

え……。

奈央は思わず声を上げそうになった。

亜由子が？　亜由子が犯人だというのか。

「どうしてあんなバカなことを」

「いいえ、私はそんなことしてない。石田さん、どうして私を信じてくれないの？」

「信じたいさ。でも、そうとしか考えられない」

「どうして」

「送られた相手の中に、僕しかアドレスを知らない人がいた。僕の携帯に登録されたアドレス帳を使った証拠だ。そして、どう考えても、それが出来るのは君しかいない」

もう、亜由子の声は聞こえない。

奈央は思わずその場に座り込んだ。

11

結局、亜由子も辞めてしまった。

葵の山下カメラマンとの不倫には驚いたが、それ以上に、ふたりの写真をばら撒いたのが亜由子であったことの方が衝撃的だった。

亜由子は何不自由ない良家の奥様で、いつも優しげな笑みを浮かべていた。箱入り娘がそのまま奥さんになったという印象だった。けれどそんな亜由子の中にも、激しい嫉妬や憎しみが潜んでいた。想像もできないことが女の世界にはある、ということを奈央は改めて痛感していた。

しかし、そんなことばかりに気を取られている場合ではなかった。奈央自身にも変化が訪れていた。デスクの洵子から連絡が入ったのだ。

「お話があります」

いい話でないことぐらいの想像はついた。立て続けに読者モデルがふたりも辞めたのだ。編集部としても困惑しているだろう。それも辞めたのは華やかなふたりで、残ったのは、いちばん地味で、私物もろくなものを持参できない奈央である。ある種の覚悟を持って、奈央は待ち合わせのカフェに向かった。

カフェには洵子が先に来ていた。

「お呼びたてして申し訳ありません」

いつもより口調が丁寧だ。予感が当たっていることを、ますます確信してしまう。

「いいえ」

奈央は向かいの席に座り、ミントティーを注文した。

「早速ですが、お仕事のお話をさせていただきますね」

洵子の言葉に、奈央は思わず姿勢を正した。

「葵さんと亜由子さんが急に辞められて、編集部としても、いろいろと対策を考えていました。それで、会議の結果、今までの私物を持参していただくページは打ち切ることになりました」

「そうですか」

覚悟していたはずである。なるべく落胆の思いを滲《にじ》まさないよう答えたつもりだったが、やはり情けない声が出ていた。

「一年ぐらいは続けたいと思っていたので、編集部としてもとても残念です。奈央さんおひとりになっても、続けてみようかという案も出たんですけど……」

それは洵子なりの慰めの言葉だろう。奈央は首を横に振った。

「いいえ、私物持参のページなのに、私はいつもろくなものを持っていけなくて、スタイリストさんに頼ってばかりでした。こちらこそ、何のお役にも立てずにすみませんでした」

ミントティーが運ばれてきて、奈央はカップを手にした。ミントの香りがやけに鼻の奥に沁《し》みる。

「近々、新しい読者モデル募集の告知を出す予定です」

「そうですか」

そうやって新陳代謝を図ってゆく。それが女性誌のやり方だ。冷たいとか薄情とか、そういう問題じゃない。読者モデルとは、そういうものなのだ。

「それと『ビューティ・チャレンジ』のコーナーなんですが」

ああ、と、奈央は胸の中で小さく息を吐いた。正直に言うと、それに一縷《いちる》の望みを賭けていた。あのコーナーはそこそこ人気があると聞いていた。アンケートの数字も悪くなかった。もしかしたら、それだけは残るのではないかという期待があった。

「この際、少し誌面のリニューアルを図ろうということになって、それも次で最終回にさせていただくことになりました」

つまり、奈央は今、読者モデルとしてクビを宣告されているのである。

「それで、南城編集長から、最後なのだから奈央さんの好きなことにチャレンジしてくださいと言われています。奈央さん、何かやってみたいこと、ありますか?」

急に言われても、何と答えていいかわからない。それよりもショックの方が大きくて、すぐには思いつかなかった。奈央はしばらく黙った。

短い間だったが、いろんな経験ができた。おかげでダイエットにも成功したし、少しはセンスも磨かれたように思う。クビになることに不平をもらすのではなく、幸運だったと思うようにしよう。何かを失ったわけじゃない。これから、読者モデルになる前の、平凡だけれど穏やかな毎日に戻るだけだ。夫の伸行と、息子の智樹と暮らす……その時ふと、奈央は思い立った。

「それなら」

洵子が顔を向けた。

「すごくドレスアップして、夫とデートしてみたいな、なんて」

洵子は何度か瞬きした。奈央は慌てて訂正した。

「いえ、ただ思いついただけです。読者モデルになっても、家では楽ちんな服ばかり着て、お化粧も手を抜いてて、夫もきっと、これでよく読者モデルなんかやれてるなぁって呆れてたところもあったと思うんです。だから最後に、ちょっと綺麗になった私を見てもらおうかと思っただけで」

「いいじゃないですか」。洵子はテーブルに身を乗り出した。

「それ、面白いですよ。お洒落して、人気のあるレストランで食事して、夜景の綺麗なバーで飲んで、久しぶりに夫と恋人時代に戻るって、読者の夢でもあると思いますよ。やりましょう、それで行きましょう」

意外な反応に、奈央の方が焦ってしまった。

「いえ、本当にただ思いついただけで、夫がどう言うかもわからないし」

「ご主人の説得はお任せします。私はこの企画を南城編集長に話します。絶対にＯＫが出ますよ」

その夜、早速、洵子から電話があった。企画が通ったとのことだった。すでに『今夜は恋人気分』と、タイトルまで決まっていた。

「では、ご主人の方はよろしくお願いします」

「あ、はい……」

奈央は頷くしかなかった。

十時過ぎに帰ってきた夫の伸行に、奈央はためらいながら話を切り出した。

「えっ、僕が？」

スーツからパジャマ代わりのジャージに着替えた伸行は、振り返って目を見開いた。

「うん、何だかそういうことになっちゃって」

「冗談じゃないよ。そんなの、出られるわけないだろう」

伸行は食卓に着き、用意してあった夜食を食べ始めた。奈央はお茶の用意をして、ダイニングテーブルに着いた。

「そうかもしれないけど……あのね、実はこれが読者モデルとして最後の仕事になるの」

「え、辞めるの？」

「辞めるっていうか、辞めさせられるっていうか。後のふたりが辞めちゃったし、もう次の読者モデルの募集をかけるんだって」

「ふうん、案外、呆気ないね」

「そうなの。正直、私も肩透かし」

奈央の声があまりに落胆していたのだろう。伸行はふと、顔を向けた。

「それって、顔は出る？」

「え？」

「いちおう僕は普通のサラリーマンだし」

「ううん、出さないでって頼めば出ない。後ろ姿とか、そういうのだけにしてもらえる」

「レストランとかバーとか、こっち持ち？」

「まさか。みんな編集部が出してくれる」

「ふうん」と、伸行はしばらく考え込んだ。

「でも、着るものがない。いつも通勤に着てるスーツなんかじゃ、まずいんだろ」

「それも頼んでおく」

「そんなことまでしてくれるの？」

「最後だもの、少しぐらいのわがままはきいてくれると思うの」

「そっか……」

「それならいい？」

奈央はつい身を乗り出した。

「まあ、最後だって言うし、ママのいい思い出になるなら」

「ほんと、いいのね！」

奈央は思わず歓声を上げた。


企画はみるみる固まっていった。

記事には三ページが使われる。洵子はドキュメンタリータッチにしたいと言った。まず、普通の格好で奈央がスタジオに入って来るところから写真を撮る。メイクをして、髪を整え、ドレスに着替える。その段階も撮影する。それから変身した奈央が伸行との待ち合わせ場所に行く。驚く夫の様子も写真に撮りたかったようだが、顔出しはNGなので、コメントを出すということで落ち着く。レストランで食事を楽しむシーンと、バーで語り合うシーンを撮り、最後、車に乗り込むところで終わる。

何より、トモさんが張り切っていた。

「任せておきなさい。ものすごく綺麗にしてあげる。ダンナとせいぜい盛り上がりなさいよ。あらやだ、その夜、二番目の子供ができちゃったりして」

スタイリストも「ちょっと冒険して、ダンナさまもどきっとするような色っぽいドレスを探してくるわ。露出度は高いのにするわよ。ヒカリモノもいいわね。思い切って豹柄系っていうのもアリかな。透けてるのもいいかも」と、大いに乗り気である。

レストランは、予約が取れないことで有名な銀座のフレンチを、バーは、レインボーブリッジが眼下に広がる外資系ホテルの最上階を、洵子がセッティングした。

着々と決まってゆく話に少々気後れしながらも、奈央は前にも増してダイエットに勤《いそ》しんだ。もちろん肌の調子を整えるために毎日のパックを欠かさず、念入りに髪をトリートメントした。

そして、当日がやってきた。

その日は金曜で、智樹にはひとりで留守番を頼んだ。伸行は、会社を早めに出て、待ち合わせのレストランに六時半に入り、借りたスーツに着替えることになっている。

奈央は三時に家を出て、いつものスタジオに入った。これが最後だと思うと、やはり名残惜しい。ここに初めて入った時、何もかもが珍しくて、きょろきょろ見回してばかりいた。

「何だか寂しいわね」

メイクを施してくれていたトモさんがぽつりと言ったので、奈央も急に悲しくなった。

「トモさんにはすっかりお世話になって」

「あなたとおばさん話するの、結構、楽しかったのに」

「すごくいい思い出になった」

「でもね、あなた、初めて会った時に較べたらすごく綺麗になったわよ。それは素直に認める。最初は、よくまあこれで読者モデルに選ばれたもんだって呆れてたんだけど」

口は悪くても、温かさが伝わってくる。

最後ということで、トモさんはいつにも増して力を入れてくれた。鏡の中で、みるみる変わってゆく自分を、奈央は見つめている。今夜は思い切り「美しさ」に酔おうと思う。照れたり恥ずかしがったりせず、人に笑われても、今夜だけは「この世で私がいちばん綺麗」と自惚《うぬぼ》れてしまおうと思う。

スタイリストが選んだドレスは、細身のシルエットの、ノースリーブで背中が大きく開いたスタイルのものだ。色はシンプルな黒だが、生地にラメが織り込んであり、上品な輝きがある。そして七センチの華奢なヒールに、小ぶりのバッグ。

「見違えちゃった」

トモさんとスタイリストは、用意の整った奈央を前にして、ふんだんに褒め言葉をくれた。カメラマンも洵子も、奈央の想像以上の変身ぶりに驚いているようだった。奈央自身、自分ではないような気持ちで、鏡に映る姿に見惚《みと》れていた。

やがて時間が迫ってきた。そろそろ待ち合わせの場所に向かおうという頃、伸行から携帯に連絡が入った。

「悪い、行けなくなった」

開口一番、伸行は言った。

「どうして！」

奈央は電話口で思わず大きな声を上げた。

「急に、大事な会議が入った」

「そんなの困る。もうみんな準備は整ってるし、あなたが来なかったらせっかくの企画が台無しじゃないの」

「悪いと思ってる。でも、どうしても僕じゃないと駄目なんだ。僕の改良したエンジンが採用されるかどうかの大事な会議だから。ほんとにごめん。みなさんにもくれぐれも謝っておいてくれ」

「そんな……」

電話は切られ、奈央はその場に立ち尽くした。

「どうかしました？」

洵子に尋ねられ、奈央は我に返ると、慌てて腰を折るようにして頭を下げた。

「すみません」

「何かトラブルでも？」

「夫が、急な会議が入ったとかで、来られなくなってしまったんです」

「えーっ……」

「本当に申し訳ありません。あんなに約束したのに、もう何て言ってお詫びしたらいいか」

いたたまれない気持ちで、奈央は告げた。

洵子はしばらく考えていたようだったが、やがてきっぱりと顔を上げた。

「もうレストランもバーも押さえてありますし、奈央さんの準備も整ってます。ご主人が来られなくても、予定を変えるわけにはいきません。最初からご主人の顔は写さないことになってましたから、急遽、代役を立てたいと思います。今、その手配をしますから、とにかく、奈央さんはレストランに向かってください」

「わかりました。よろしくお願いします」

後はもう洵子の采配に任せるしかなかった。

カメラマンやトモさん、スタイリストとロケバスに乗り込んで、レストランへと向かった。スタッフへの申し訳なさに、奈央はすっかり落ち込んでいた。それに加えて、伸行に対する腹立たしさもあった。会議が入ったのだから仕方ないとはいえ、周りにこんなに迷惑をかけることになってしまった。奈央にとっても、この撮影は一生の思い出になるはずだった。こんなことなら、自分から企画など言い出さなければよかった。最後の最後にますますケチがついてしまったようで最悪の気分だった。

レストランに到着し、奈央はウェイティングバーに向かった。その間も、カメラマンが奈央の姿を撮り続けている。カウンターに男がひとり座っている。ああ、あの人が伸行の代役なのだな、と思った。奈央は近づいてゆく。今夜は、あの人を恋人だと思おう。

その時、男が振り返った。奈央は思わず足を止めた。

「南城編集長……」

南城が少々照れた表情で、スツールから立ち上がった。

「話は聞きました。急だったんで誰もつかまらなくて、急遽、僕が代役になったんです。それにしても、奈央さん、綺麗だ。びっくりした」

「そんな……」

「ご主人の代役とは役得だな。今夜はよろしくお願いします」

「こちらこそ、よろしくお願いします」

と、会釈を返しながら、奈央は胸の中で細かい泡のようなときめきが沸き立ってくるのを感じていた。

12

掃除機をかける手を止めて、奈央はベランダの向こうに広がる風景に目をやった。もうすっかり空も海も秋の色をしている。

ここのところ、何だか身体が熱っぽい。風邪をひいたのかもしれないと、体温計で測ってみても平熱だ。それでも、普通ではない熱さが身体の中を回っているのがわかる。

掃除機のスイッチをオフにして、奈央はソファに腰を下ろした。

まだ洗濯も終えていないというのに、テレビではもうお昼のニュースが始まっている。クリーニング屋さんに行かなくちゃ、新聞もまとめなきゃ、と思いながら何もする気になれない。最近、こうしてぼんやりしている時間が多くなっている。

こうなったのは、あの夜からだ。

あの夜——。

まるで空気が薄くなったように、奈央は大きく息を吸い込んだ。

南城編集長と撮影をしたあの夜から、自分の中にさざなみが立っている。その思いがけない心の揺れは、奈央をずっと戸惑わせ続けている。

もうひと月近くもたつというのに、こうしてソファにもたれ、目を閉じると、まるで昨夜の出来事のように鮮明に記憶が蘇《よみがえ》ってくる。

南城編集長とあんなにゆっくり話したのは初めてだった。もちろん、周りにはカメラマンやスタイリスト、メイクのトモさんもいて、ふたりきりというわけではなかったが、そういう外野の視線があるからこそ、自分たちの存在がやけに輪郭を濃くしたようにも思う。

その上、南城編集長が「本物の夫婦の雰囲気を出したいから、僕たちの会話の邪魔をしないこと」などと宣言したせいもあって、更に意識してしまった。撮影も、近い距離からのものは手早く済ませ、あとは遠くから撮るカットばかりで、その間、本当にふたりでデートをしているような雰囲気だった。

緊張している奈央を気遣ってか、南城編集長は「綺麗だ」と、何度も褒めてくれた。もちろんお世辞ということはわかっている。どれだけ奈央が頑張っても、所詮は普通の主婦に毛の生えた程度のものだ。それでも、南城編集長は言ってくれた。

「奈央さんは、もっと自信を持ってもいいんじゃないかな」

「いつもプロのモデルを見ている南城さんに言われても、そうやすやすと信じられません」

「確かに、仕事柄、綺麗な人ならたくさん見ている。でも、こんな言い方をすると怒られるかもしれないけど、どんなに綺麗でも、僕にはモデルが女性には見えないんだ。もっと言えば、生身の人間という感じがしない。だからこそ、読者モデルの奈央さんが、普通の女性として身近に感じるんだな。だから僕もつい、編集長という肩書きを忘れそうになる」

そして、苦笑しながら慌てて付け加えた。

「いや、これって、却《かえ》ってマズイかもしれないけれど」

そんな言葉に、奈央はどれほどどぎまぎしただろう。奈央にしても、南城のことは今まで『ヴァニティ』の編集長としてしか見ることはなかった。それほど話す機会があったわけでもないし、立場的なこともあって、どちらかと言うと近寄りがたい印象を持っていた。しかし、こうして向き合っていると、奈央も南城の肩書きなど忘れてしまいそうだった。

その上、エスコートも完璧で、あくまで奈央をひとりの女性として扱ってくれた。撮影が終わった後も、頬の上気がなかなか鎮まらなかったのは、飲んだお酒のせいばかりではなかったはずだ――。

気がついて、壁の時計に目をやると、いつの間にか三十分近くが過ぎていた。奈央は慌ててソファから立ち上がり、再び掃除機をかけ始めた。

この気持ちって――。

フローリングの床に、掃除機のヘッドを滑らせながら奈央は考える。

浮き足立っていて、何をしていても気がそぞろで、心臓の裏側がしくしく痛んで、笑いたくなるような泣きたくなるような、誰かに聞いてもらいたいような秘密にしたいような。

ああ、と奈央は思い出す。

まだ女子高生だった頃、こんな気持ちを味わったことがある。下校途中に男子校があり、練習しているテニス部の男の子に一目惚れした。それから毎日コートに通い、嬉しいのか苦しいのか自分でも理解できないざわざわした気持ちに包まれていた。

そう、あの時とそっくりだ。

恋なの？

奈央は自分に問うてみた。そして、笑い出しそうになった。もう女子高生の頃から二十年が過ぎている。四捨五入したら四十歳だ。

今更そんな、私がそんな――。

百歩譲って、たとえこの気持ちが恋だとして、だからどうだというのだろう。南城編集長からすれば、奈央など単なる一読者モデルにしか過ぎない。たまたま代役に駆り出されただけで、それ以上のことは何もない。何より奈央はすでに『ヴァニティ』をクビになったのだ。これからスタジオに行くことも、編集部に顔を出すこともない。奈央が何をどう思おうと、南城編集長と会うことは、二度とないのだから。

読者モデルを辞めてから、奈央は毎晩、頑張って料理を作るようになっていた。伸行や智樹に対して、手抜きが続いていたことへの詫びの気持ちがあった。モデルの仕事が終わった以上、これからは今までの罪滅ぼしの意味も含めて、ふたりにはおいしい食事をたくさん作ろうと決めていた。

今夜は、ウィークデイだというのに伸行から早く帰れるという連絡があり、ますます張り切った。最近メタボを気にしている伸行のために金目鯛の煮つけと茶碗蒸しと白和えを用意し、伸び盛りの智樹にはそれにポークピカタと野菜サラダを加えた。

食卓に着いた伸行は、並んでいる料理を見て「最近、豪勢だなぁ」と、笑った。

「ママのポークピカタ、久しぶり」

智樹は子供らしい声を上げている。

奈央は伸行のグラスにビールを注いでから、ふたりに言った。

「前にも言ったでしょう。モデルの仕事は辞めたんだから、もうお料理の手抜きはしません。ママはとっても反省しています。これからは家事をきっちりやります」

「ふうん、ほんとにママ、辞めたんだ」

智樹がどことなく、残念そうに見える。男の子にとって、母親がモデルをしているというのは、やはり少しは自慢だったのかもしれない。

「もともと、読者モデルで短い期間だけって約束だったから」

伸行がグラスを手にした。

「ま、それくらいでちょうどよかったんじゃないの。ママは普通の奥さんが一番似合っているのさ。ちょっとした社会見学したと思えばいいんだから」

気楽に言って、伸行はビールを飲んだ。

「そうね」

奈央は味噌汁の椀を手にして頷く。

本当にそうだ。いい経験をした。いい思い出になった。何もなかったよりずっといい。

こうして今までの生活に戻ることが、自分には似合いの人生なのだ。

それから半月ほどが過ぎた頃、奈央の最後の仕事『今夜は恋人気分』が載った『ヴァニティ』が送られてきた。

どきどきしながらページを開くと、最初に目に飛び込んできたのはすっぴん顔の自分である。思わず隠したくなったが、その後の写真は、我ながら見事な変身ぶりである。やはりプロのメイクやスタイリストやカメラマンの手に掛かると、普通の主婦でもここまで美しくなれるのだと、改めて感心してしまった。

そして当然だが、写真には南城編集長の後ろ姿が写っている。ようやく気持ちも落ち着いてきたというのに、奈央は再びもの悲しい想いに包まれた。

またもや、あの夜のことを思い出してしまう。

レストランからホテルのバーに移り、ふたりでグラスを傾けた。奈央はマティーニを、南城編集長はスコッチウイスキーの水割りをオーダーした。

その時、少し酔った勢いもあり、奈央はこんな質問をした。

「南城さんは、奥様とどんなふうに知り合ったんですか？」

南城編集長も酔っていたのだろう。ざっくばらんに答えてくれた。

「大学時代の同級生ですよ」

「そうなんですか」

「ふたりとも編集者が希望で、彼女も別の出版社に就職したんです。三十歳の時に結婚して、子供が生まれて」

「順風満帆ですね」

「ただ、ちょっとその子が病弱だったものだから、結局、彼女が仕事を辞めて家に入ることになったんです。編集者としての才能は彼女の方があったと思う。だから、彼女も悔しかったに違いない。そのこと、ずっと申し訳なく思っているんですよ」

「今も？」

「たぶん、一生消えないだろうなぁ」

「一生ですか」

「負い目だから」

それを聞いた時、自分の胸を通り過ぎていった感覚を、奈央は今も不思議に思う。かわいそう、と思ったのだ。相手にかわいそうなんて感情を抱くのは、ある種、とても傲慢なことだと思う。決して見下したわけではない。それが証拠に、かわいそう、の次にはこう思ったのだ。

私だったら喜んで主婦になるのに——。

「ママ、聞いてる?」

その声に、奈央は我に返った。

食卓の向こうに智樹の顔が見える。

「あ、もちろん聞いてる、何?」

「あのね、試合、来月だから」

智樹はエビフライを口にしながら、ついでのように場所と日程を口にした。

「じゃあ応援に行かなきゃね。その日は土曜日だから、きっとパパも行くって言うわよ」

「いいよ、そんなの」

智樹はぶっきら棒に首を横に振ったが、もし本当に嫌なら、試合の日程など告げたりはしないだろう。正選手に選ばれたことをとても喜んでいて、内心では、やはり戦う姿を見にきて欲しいと思っているのだ。

「いいじゃないの、パパもママも、智樹の剣道着姿ってまだ見たことないから楽しみ」

「先輩とか友達とかいるから、こっそり見にきてよ」

「わかってる」

その夜、帰ってきた伸行に告げると「おう、もちろん行くぞ」と張り切った声を出した。甘やかし気味だとわかっているが、仲行にとってもひとり息子の晴れ舞台はやはり見ておきたいのだろう。

「張り切って、お弁当を作るね」

奈央も嬉しくなって答えた。


そろそろ何か始めようと、奈央は再び思い始めている。

家事を手抜きするつもりはないが、やはり家の中にいるだけでは退屈だ。智樹が私立中学に進学したこともあって、小学校の頃に仲が良かったママ友たちとも何となく疎遠になってしまった。久しぶりで再会した学生時代の友人・樋口文香とは今も絶縁状態のままだ。できるなら気楽にお喋りする友達が欲しい。

読者モデルになるようなことがなければ、本当はピアノを再開するか、油絵か、バレエか、中国茶の勉強をしたいと考えていた。改めてネットで調べてパンフレットを取り寄せようか。

そんなことを考えている頃、思いがけない人から電話が入った。

「ご無沙汰しています、『ヴァニティ』の黒沢です」

奈央は戸惑いながら挨拶を返した。

「どうも、お久しぶりです」

今更何の用だろう、と訝《いぶか》しげに思っていると、察したように洵子が明るい声を上げた。

「『今夜は恋人気分』の企画、アンケートの評判がものすごくいいんです。このままだと一位を取りそうな勢いなんですよね。編集部もとても喜んでいます。ありがとうございました」

「いえ、こちらこそ」

もちろん、奈央だって嬉しい。

「それで、そのお礼も兼ねてランチでもいかがかなと思って」

「え……」

「近々、お時間取ってもらえませんか」

結局、二日後、銀座のレストランで会うことを約束した。

「それって、どういう意味ですか？」

ホタテのバターソテーを切り分けるナイフとフォークを置いて、奈央は洵子の顔を見つめ直した。ここは六丁目にある女性に人気のフレンチだ。

「ですから、もう一度『ヴァニティ』に復帰していただけないかということです」

洵子はさらりと言った。しかし、却って奈央は納得できない気持ちになった。クビを宣言したのは、そっちの方だ。

「奈央さんの言いたいことはわかります。読者モデルで頑張ってくれていたのに、誌面変更であっさり切り捨てられたって気持ちがあると思うんです」

「……」

「あの時は、同期の葵さんと亜由子さんがふたりとも辞めてしまって、編集部としても次の対策を考えるしかありませんでした。それでこちらの都合を押し付けてしまう形になったんです。そのことはとても申し訳なく思っています」

奈央は困惑するばかりだ。

「今回、復帰をお願いするのは、読者モデルではありません」

では、『ビューティ・チャレンジ』のコーナーだろうか。

「うちの専属モデルになりませんか」

奈央は思わず「えっ」と声を上げた。

「専属モデル？　私が？」

「はい、編集部ではそのつもりでいます」

「まさか、この私が」

「この間の『今夜は恋人気分』がアンケートで一位を取りそうだって話をしましたよね。実際、取ったんです。それで編集部でも『ヴァニティ』の基本はこういうことではないかと会議の議題に上りました。プロのモデルというより、もっと読者に近くて、ちょっちょっと頑張れば自分も叶えられる、そういう距離感のモデルさんが必要なのではないかって。それには奈央さんがぴったりなんです」

奈央はぼんやり聞いている。

「専属モデルとなれば、もちろんギャラもそれ相応に払わせていただきます。ただ、拘束時間も長くなるので、覚悟がいるかもしれません。とにかく、南城編集長が奈央さんの復帰を強く望んでいるんです」

その名に、奈央は身体が熱くなった。ようやく治まったはずの熱が、またぶり返してくるのを感じる。

「でも、私は――」

伸行と智樹に宣言してしまった。もうモデルはしない。これからは家事をきっちりやる。

「どうでしょう、受けていただけませんか」

洵子がテーブルから身を乗り出した。

13

あれからずっと、奈央は迷っている。いったいどうすればいいか、毎日、思いをめぐらせている。

けれどもそれは「専属モデルを引き受けるか、断るか」の迷いではない。

洵子から話を聞かされた時、すでに気持ちは決まっていた。いや、その瞬間は自分でもよくわからなくて、そのことよりも「クビにしておいて、何を今更」という意識の方が強かった。けれども、いつの間にか洵子以上にテーブルに身を乗り出して、熱心に話に耳を傾けている自分がいた。

最後に「しばらく考えさせてください」と答えたのは、奈央のせめてものプライドだ。

「お返事はどれくらいお待ちすればいいですか？」

「一週間ほど」

「わかりました。一週間後に、よいお返事をお待ちしています」

そして、その期限は明日である。

この一週間、伸行に何度も話そうとした。しかし伸行の帰りはここのところ遅く、機嫌もあまりよいとは言えない日々が続いていて、言い出すことができなかった。

今夜こそは切り出さなければならない。帰りは十一時近かった。背広を脱ぐと、伸行はめずらしく「ウイスキー」と言い、奈央はボトルと水割りセットをテーブルに置いた。夜食はいらないと言うので、チーズとドライフルーツを用意した。

伸行はリビングのソファに腰を下ろし、水割りを飲みながら、テレビのニュースを食い入るように見ている。

最近、アメリカのファンド会社が倒産した。それは何十兆円レベルの破綻で、影響が全世界に広がり始めていた。

そのことは、もちろん奈央も知っている。毎日、朝からニュースで繰り返されている。これから大変なことになるのかもしれない、大不況の時代がくる可能性もある。しかし正直言うと、あまりピンときているわけではなかった。株をやっているわけでもないし、ファンドに手を出しているわけでもない。それよりも今の奈央には、専属モデルの件を伸行にどう切り出せばいいのか、そちらの方が差し迫った問題だった。

「あのね、実は……」

声を掛けたが、伸行は聞こえなかったのか、グラスを手にしたまま大きくため息をついた。

「うちの会社もどうなることか……」

「やっぱり影響あるの？」

奈央が聞き返すと、伸行は呆れたような目を向けた。

「当たり前だろ。株価の下落で会社の資産価値は下がるし、円高になれば輸出量が減る。何せ、日本の自動車会社は海外のシェアに頼ってるんだから」

「そうかもしれないけど……」

「バブル崩壊を思い出すよなあ」

奈央の脳裏にも、ふとあの頃のことがよぎった。

バブル崩壊の年、奈央は大学三年生だった。どこの会社も求人募集は見送り、数少ない就職口に学生たちが殺到した。当然買い手市場となり、奈央もあの時、いったい何社から不合格の通知を受け取っただろう。そのほんの一年か二年前は、どんなに成績が悪くても何社からも内定が貰える状況だった。実力なんか関係ない。すべては運としか言いようがない。景気によって、こんなにも人生が変わってしまうのだと痛感した。

結局、奈央は画廊にアルバイト程度に勤め、早々に伸行との結婚を決めることになった。それはそれでとても幸福な選択だったと確信しているが、もしあの時、希望通りマスコミの会社に就職できていたら、今とはまったく違った人生を送っていたかもしれない、と思う自分もいないわけではない。

「残業代カットにボーナスカット、人員整理、昇給見送り……急にやな言葉ばっかり飛び交うようになってさ。ママも、少しは覚悟しておいてくれよ」

「うん、わかった」

「智樹の学資はまだ十年近くかかるわけだし、このマンションのローンもあるし」

「そうね」

「前に習い事を始めたいなんて言ってたけど、この状況じゃ、それもちょっとなぁ」

その時、奈央はふと思った――。

「まあ、うちの会社は堅実な経営で有名だから、倒産なんてことにはならないだろうけど、でも、こんなご時世だから、何が起こってもおかしくないからな」

「私、習い事なんてしなくていいの」

奈央の言葉に、伸行はちょっと困ったようにグラスを口にした。

「別に絶対にするなって言ってるわけじゃないんだ。家計と相談して適当にやってくれればいいんだから」

「わかってる。でも、今の話を聞いたら、とてもそんな気になれない。それくらいなら働いた方がいい」

「働く？」

言ってから、伸行は笑った。

「まだ懲りてないのか。ママには無理だって。読者モデルなんてお遊びみたいな仕事さえ、続かなかっただろう」

「読者モデルは、確かに真剣みが足りなかったと思うの。でも、今度はそうじゃないから」

「今度？」

「今度って？」

伸行はグラスを持ったまま、首を傾げた。

奈央は居ずまいを正した。

「あのね、実は『ヴァニティ』編集部から、専属モデルにならないかって誘われてるの」

瞬きする伸行に、奈央は続けた。

「専属モデルになるって、大変なことなの。読者モデルからなんてほとんど不可能で、それに私が選ばれたのは奇跡みたいなことなの。それにね、専属モデルならギャラだってちゃんと貰えるの。それも普通のパートの時給の五倍くらいだって言われた。それだったら智樹の学資もマンションのローンも、少しは足しになるかもしれない」

仲行は黙った。

「ねえ、どう思う？」

「どうって」

「だから、専属モデルの話。どうしようかな、受けた方がいい？　それとも断った方がいい？」

仲行の顔に困惑が広がっている。

「だって、読者モデルを辞めてからまだふた月くらいしかたってないだろ。これから家事をきっちりやるって宣言したばかりじゃないか」

「そうだけど、たまたま話を貰ったから……。家事だって、絶対に手抜きはしないって約束する」

「何だかもう決めてるみたいな言い方だな」

「えっ……」

「僕にはやる気満々に聞こえる。じゃあ、僕が辞めろって言ったら、辞めるのか」

奈央は黙った。話が、あまりよい方向に進んでいないような気がする。何か仲行の気持ちを逆撫でするような言い方をしただろうか。

伸行は自分でグラスにウイスキーを注ぎ足した。

今日はこれ以上、話を続けない方がいいだろうと、奈央は判断した。

「やっぱり何か作ろうか？　おつまみだけじゃ足りないでしょう」

ソファから立とうとすると、不意に伸行が言った。

「少しは給料が減るかもしれないけれど、だからって女房と息子を食わせられないわけじゃない」

声に酔いが混ざっていた。

そういうことなのかと、奈央はようやく気がついた。これは伸行の自尊心の問題なのだ。奈央がギャランティを口にしたことが、伸行には「夫の稼ぎが悪い」というニュアンスに聞こえたのかもしれない。

奈央はソファに座り直した。

「当たり前じゃない。私と智樹はパパのおかげで何の心配もせず暮らしていられるの。本当にみんなパパのおかげ。パパが反対するなら、お断りする。私はただ、習い事をするくらいなら、ちょっと経験のあるそっちの方が楽しいかなって思っただけなの」

こんな時の伸行の操縦法はわかっている。おだてること。持ち上げること。結婚して十四年もたっている、自然に身についている。

案の定、伸行は表情を緩めた。

「どうせ、またすぐクビになるんじゃないの」

「そうかもね、そうしたら、もう二度とやらない」

あはは、と、伸行が笑ったので、奈央はホッとした。

「ま、その覚悟があるのなら、やってみればいいんじゃないの」

やった！　と、奈央は胸の中でガッツポーズを取った。


翌日、早速、洵子に連絡を入れた。

「ああ、それはよかった。編集長もきっとものすごく喜ぶと思います」

南城編集長の顔が頭に浮かぶ。これから、また顔を合わせるようになるのかと思うと、胸の中にさざ波がたち始める。

「では、とりあえず、明後日に撮影があるので、スタジオにいらっしゃいませんか。他の専属モデルの方々にも正式に紹介したいし、奈央さんも前もって挨拶しておいた方が、何かと安心じゃないかと思うんです」

「わかりました」

約束通り、翌々日、スタジオに入ると何だかとても懐かしい気がした。メイク室を覗くと、化粧台の前でファンデやらシャドウやらの整理をしているトモさんの背中が見えた。

「トモさん」

声を掛けると、びっくりしたようにトモさんが振り返り、それから「何よ、この出戻り！」と、相変わらずの憎まれ口を叩いた。

「こういうことになりました。これからもよろしくお願いします」

部屋に入って、奈央は頭を下げた。

「ほんとよねえ、あなたが専属モデルになるって聞いて、どんなにびっくりしたか」

「私だって。でも、ここまできたからには頑張るしかないって思ってる」

「言っておくけど、今までみたいなわけにはいかないわよ。専属モデルはプロなんだから、表情ひとつ、ポーズひとつ、厳しく注文つけられるわよ。何せ、ブランドのイメージに関わるんだもの。下手したら、ブランドから『あのモデルは使ってくれるな』ってクレームがくるかもしれない」

奈央は緊張して、思わず背筋を伸ばした。専属モデルになったこと自体で浮かれていたが、確かにこれからはプロとしての責任が付いて回ることになる。

「やーねえ、もうビビってんの。まずは自信を持つことね。言っておくけど、美人とかスタイルがいいとか、そういう自信じゃないわよ。それだったら、あなたはいちばん下。そうじゃなくて、あなたならでは、というものを持つの。それが自信につながるんだから。任せておきなさい、私がメイクでばっちり後押ししてあげるから」

トモさんといると元気が出てくる。何でもできてしまいそうに思えてくるから不思議だ。

「それにしても、あなた、何なのよ。たった二カ月で、ここまで普通の主婦に戻っちゃうものかしらね」

トモさんがため息まじりに呟き、改めて奈央を眺めた。

「そうかな」

「そうよ。『今夜は恋人気分』の撮影の時とは月とすっぽん」

「体重は変わってないんだけど」

「体重じゃないの、顔の輪郭も身体のラインも締まりがなくなってる。主婦そのまんまとにかく一刻も早く緊張感を取り戻さなくちゃね」

はい。と、奈央は真面目な顔で頷いた。

やがて、洵子が部屋に入って来た。

「奈央さん、じゃあ、みなさんのところに挨拶に行きましょうか。ちょうど、撮影の休憩に入ったので」

「わかりました」

緊張気味に頷くと、ファイト、とトモさんが口パクで言った。


「へえ、冗談じゃなかったのね」

スタジオに入って来た奈央の顔を見て、呆れたように言ったのは安永舞子だ。それにつられたように、後ろのモデルたちがくすくす笑っている。

「このたび、読者モデルから専属モデルになった宮地奈央さんです。これからいろいろと教えてあげてください」

洵子が紹介し、「じゃ奈央さんからも何か」と促された。奈央は一歩、前に出た。

「今はまだ、わからないことだらけですが、これから専属モデルとして頑張りたいと思いますので、どうかよろしくお願いします」

「あなた、プロを舐《な》めてるわけ？」

舞子の言葉が正面から投げられた。

「え？」

「スタジオに平気で主婦のダサさを持ち込むその神経、信じられない。現場の雰囲気、ぶち壊しじゃないの。主婦が対象の女性誌でも、モデルは主婦じゃないのよ。主婦というスタイルを演じているだけなの。あーあ、無理しないで、普通の奥さんに戻ればいいのに、まったく周りは迷惑なのよ」

身体が熱くなった。これがプロとしての洗礼というものだろうか。この中で、自分はちゃんとモデルが務まるのだろうか。

意気込みだけで来てみたが、もしかしたら間違っていたのかもしれない……そんな弱気な思いに包まれそうになっている時、ドア付近から声があった。

「舞子さん、そう意地悪しないで」

振り向くと、南城編集長だった。

「あなたも読者モデルだった頃があったんだから、奈央さんのことも理解してあげてくださいよ」

「やだわ、南城さんったら」

舞子は形のいい唇で笑みを作った。

「そんなこと、わかってますって。ちょっと新人さんをからかってみただけ。奈央さん、これからよろしくね。みんなで一緒に『ヴァニティ』を守《も》り立てていきましょうね」

その変わり身の素早さに、奈央は強張りつつ、頷くのが精一杯だった。

撮影が再開され、奈央は南城編集長とスタジオを出た。

ついつい心臓が高鳴ってしまう。あの夜のことが思い出されて、まるで恋人に再会したような気持ちになる。

「奈央さん、これから専属モデルとしてよろしくお願いしますよ」

「はい、頑張ります」

「撮影はいつから？」

その質問には洵子が答えた。

「来週の土曜日です。青山のカフェでの撮影になります。ランチ開始の十一時半までに終えなくてはならないので、現地には朝の八時に集合ということになります。奈央さん、それでいいですね」

え……。

奈央は返事に窮した。その日は、智樹の剣道の試合がある日だったからだ。専属モデルの初仕事がその日に重なってしまうなんて何て運の悪い。予定を変えてもらうことは可能だろうか、それを尋ねようとしたとたん、洵子が言った。

「奈央さんの専属モデルデビューを記念して、特別にページを割いたんです。お店にも、無理を言って開けてもらいました。奈央さん、頑張りましょうね。また、アンケート一位を狙いましょうね」

南城編集長も大きく頷いている。

断れるはずがなかった。

14

期待と不安に満ちながら、いよいよ奈央の専属モデルとしてのスタートが切られた。

とはいえ、最初の仕事が智樹の剣道の試合の日と重なってしまったのは誤算だった。日程をずらして欲しい気持ちはあったが、洵子の張り切りようや、新人としての立場を考えると、とてもそんなことを口にすることはできなかった。

その日は朝の四時起きで朝食と弁当を作った。撮影は午前十一時前には終わる予定になっている。それから急いで試合会場の代々木体育館に向かえば、十一時半から始まる智樹の試合には間に合うはずだ。昼食だって一緒に食べられるだろう。

当日に仕事が入ったことを伸行に伝えた時は、さすがにいい顔はしなかったが、ありったけの愛想を振り撒いたのと、四時起きでの朝食と弁当作りの努力を認めてくれたようだった。「十一時半には間に合うようにしろよ」と、しぶしぶながらも送り出してくれた。

撮影現場に向かう電車に揺られながら、奈央は息を吐く。

家庭に支障をきたさない程度、というのが、伸行からの条件だし、奈央もそのつもりでいる。それでも、妻や母という立場はいろいろと厄介なものだとつくづく思う。伸行に急な仕事が入った時は、約束が破られることなどしょっちゅうだ。あの『今夜は恋人気分』の撮影の時もそうだったではないか。智樹にしても、部活で帰りの時間はいつもまちまちだ。加えて、洗濯や食事や部屋の掃除など、母親の奈央がして当たり前だと思っている。奈央も今まで、それが自分の仕事なのだから当然だと考えていた。けれども、これから奈央も仕事を持つことになる。毎日出勤というわけではないが、もう専業主婦とは違う。かつて、ママ友の中には働いていた人もいたが、いったいどんなふうに両立させていたのだろう。もっと詳しく観察しておけばよかったと思う。

現場のレストランに到着すると、すでに洵子とカメラマン、スタイリストにヘアメイクも待っていた。洵子以外は、初めて顔を合わせる相手ばかりだ。

「おはようございます。よろしくお願いします」

奈央が挨拶をすると、早速、カメラマンから皮肉な言葉が投げられた。

「新人モデルって、誰よりも早く現場で待機しているもんじゃないの」

思わず背筋がしゃんとした。そこまで気が回らなかった。とにかく謝るしかないと、奈央は頭を下げた。

「すみません、これから気をつけます」

「では、早速メイクに取り掛かってください」

洵子に促され、奈央はレストランの片隅に移動した。メイク担当がいつものようにトモさんであれば、冗談を言い合ったりしてリラックスできるのだが、今日はそうはいかない。

よろしく、と笑顔を向けてみたが、相手は「どうも」と言ったきり、何だかやけに無愛想である。隣で洵子が段取りを説明し始めた。

「今日は、ランチファッションの撮影となります。四パターンあって、学生時代の友人、ママ友、習い事の仲間たち、義母という順番で撮っていきますのでよろしく」

「はい」と、緊張しながら奈央は頷く。

「それから、ファッションライターを紹介しておきますね。沖田《おきた》さん、ちょっとこっちにお願いします」

洵子はひとりの女性を呼び寄せた。奈央と同い年くらいだろうか。白シャツとショートカットがよく似合う、なかなかの美人だ。

「沖田里美《さとみ》です。どうぞよろしく」

笑顔が人懐っこく、どこか人の心を和ませる印象があった。

「こちらこそ、よろしくお願いします」

ファッションライターという仕事が何なのか、奈央にはよくわからない。それを察したように洵子が説明した。

「ファッションページには、写真にそれぞれ商品の説明や紹介文が載るでしょう。そういうのを書いてくれる人です。沖田さんは先日まで他社の女性誌にいらしたんですけど、残念ながら休刊になってしまって。でも、ファッション知識は豊富だし、プレスとも交流が深いし、何よりいつも担当したページの商品は問い合わせが多いという優秀なライターさんで、今回からうちに来ていただくことになったんです」

それはスカウトということだろうか。

奈央は改めて沖田里美の顔を眺めた。どちらかというと可愛らしい印象で、とてもそんなやり手には見えない。

里美が恐縮したように小さく笑った。

「でも『ヴァニティ』では新人ですから、奈央さんと立場は同じです。新人同士、ふたりで頑張っていい誌面にしましょうね」

優しい言葉を掛けられたことに、奈央はホッとしながら頷いた。

緊張感いっぱいで、撮影が始まった。まずは学生時代の友人とのランチファッションだ。服はカジュアルでも、小物でさりげなくゴージャス感を出す。スタイリストに用意された服やバッグ、時計にアクセサリーは、どれもお洒落で高価なものばかりだ。今まで着たこともないし、持ったこともない。とにかくそれらを身に付けてカメラの前に立ち、ポーズを取った。

しかし、カメラマンは満足いかないらしい。奈央の指先ひとつ、目線ひとつに、何度も注文をつける。必死に応えようとするのだが、的はずれなのか、カメラマンが「わかんないかなぁ」と呆れ声を出す。読者モデルの時に、ある程度ポーズの取り方は習ったが、やはり専属モデルとしてはまだまだ通用するものではないらしい。

そんなこともあって、最初のカットを撮り終えただけで、奈央はすっかり疲れ果てていた。その上、化粧直しに行くと、メイクの人に「やだわ、こんなに崩れちゃって」と、聞こえよがしに言われてしまった。

確かに、プロのモデルはめったに化粧崩れしない。顔に汗をかかないからだ。だから直しも簡単に済む。

ぶつぶつ言われながらも何とかメイク直しを済ませ、次のカットの撮影が始まるまで、奈央はレストランの隅にある椅子に腰を下ろした。口から漏れるのはため息ばかりだ。すっかり落ち込んでいた。自分みたいな者が、専属モデルになるなんて、やはり無茶だったのではないかと今更ながら思えた。

「コーヒー、いかが？」

顔を向けると、沖田里美がカップを差し出した。

「あ……ありがとう」

「いろいろあるかもしれないけど、あんまり気にしないの」

いたずらっぽく里美が笑い、隣の椅子に腰を下ろした。

「カメラマンとメイクさんに、ちょっと意地悪された？」

「意地悪なんて、私が駄目なだけ」

「カメラマンの彼はね、裏表のない人だから、聞き流しておけばいいのよ」

奈央は思わず里美を眺めた。

「知ってるんですか？」

「前の女性誌で何度か仕事をしたことがあるの。この業界は意外と狭いのよ。噂もいろいろ耳に入ってくるしね」

「そうなんですか」

「ちなみに、メイクさんの機嫌が悪いのは、いつもは舞子さんの担当だから。舞子さんを次の表紙モデルにしたいから、きっとライバルには冷たくしちゃうのよ」

「ライバルだなんて」

モデルとして、今の奈央など舞子の足元にも及ばない。

里美は奈央の心の内を見透かしたように笑った。

「だって、奈央さんって南城編集長の推薦で専属モデルになったんでしょう。だったら表紙を飾る可能性もないとは言えないじゃない。以前から、南城編集長ってプロ擦れしたモデルをあまり使いたがらないって評判だった。読者と同じ目線でありたいって、そういうポリシーの持ち主なのね。ミーナさんもそうだったでしょう。今でこそ、あんなに有名になったけど、以前は普通の奥さんの延長線上にいたって感じの人だったもの。彼女も南城編集長の推薦のはず」

「ええ、それは聞いたことあります」

「ミーナさんと違って、舞子さんはテレビやＣＭなんかにも出ているし、その分、知名度は抜群だけど『ヴァニティ』の顔としてはちょっと違うのかもしれないわね」

奈央は黙って聞いていた。里美の情報量はどうやらかなりのものらしい。

「とにかく肩の力を抜いて。いつもの奈央さんでいれば、必ずいい写真になるから」

里美の言葉にはとても説得力があり、奈央は素直に力づけられた。

最後のカットとなる義母とのランチファッションは、やけに時間がかかった。というのも、メイクの仕上がりに洵子が納得しなかったからだ。

「義母とのランチなんだから、もっと普通っぽいのにしてください」

確かにアイラインも濃く、口紅も華やかな色が使われている。奈央もメイクを施されながら「何か違うな」と思いつつ、新人の立場として口にすることができなかった。

メイクさんは不機嫌な様子で直し始めた。

「だったら、このカットを先に撮ればいいじゃない。最後にいちばん薄化粧にするのって、却って手間がかかるんだから。段取りが悪いんじゃないの」

編集者である洵子に直接言えない分、奈央にその八つ当たりが来る。メイクを施されている間中、奈央はずっとそれを聞かされるハメになった。

しかし、それより気になるのは、時間の方だった。今、十五分押している。十一時に終了の予定だが、このままでは超過するかもしれない。智樹の試合に間に合わなかったら大変だ。きっと伸行も不機嫌になる。

そんな時に限ってカメラマンが、いつもより多くシャッターを切る。あとどれくらいかかるのか、気が気ではない。

その時、「ちょっと、入ります」とカメラマンに声を掛け、里美が奈央に近づいてきた。

「何かあるの？」

「え？」

「気もそぞろって感じだから」

「ええ……実は十一時半から息子の剣道の試合があって」

こんなことは言ってはいけないのかもしれないが、つい口にしていた。

「わかった、任せておいて」

すぐさま里美はカメラマンのところに行き、何やら耳打ちした。カメラマンは奈央に目をやると、「じゃ、最後の一枚」と言った。

撮影が終了し、ついたての中で着替えをしていると、里美がやってきた。

「さっきのこと、心配することないから。時間が延びると場所代がすごくかかるって言っただけだから」

撮影が早く終わるよう、里美が手を回してくれたのだった。

「すみません、気を遣ってもらって」

「いいのよ。さあ早くしないと、試合に遅れちゃうわよ」

おかげで何とか間に合った。智樹の試合は、残念ながら一回戦敗退という結果だったが、大切なのは勝ち負けじゃない。両親が揃って智樹の試合を観戦しに行くということだ。一緒にお弁当を広げるということだ。とにかく、妻としても、母親としても、役割を果たせたことに奈央は心からホッとしていた。


それから週に二度ほどの割合で、奈央は撮影に出るようになった。

プロのモデルたちと一緒の撮影は、やはりまだとても緊張する。なかなかポーズが決まらなくて、奈央だけが撮り直しになることもある。

それでも場数を踏むうちに、少しずつだが落ち着きも出てきた。時にはカメラマンから「いいね」と褒められたり、撮影の合間、他のモデルたちとお喋りを交わすこともできるようになっていた。

そうなれたのも、里美の存在が大きい。

里美は奈央のページを担当するたび、現場で会うと、さりげなくさまざまなアドバイスをくれたからだ。たとえば――

「目線はね、カメラを見つつもずーっと遠くの方を見るような気持ちでいると自然になるから」

「この時計は値の張るものだけどビビらない。所詮は道具って思えばいいの」

「笑顔の時は、とにかく口角を意識して」

「すごく綺麗よ。周りなんか気にせず堂々としていればいいの」

それらの言葉に、奈央はどれだけ励まされただろう。

その日、スタジオに出向くと、エレベーターホールでミーナさんと顔を合わせた。

「あら、お久しぶり」

ミーナさんは相変わらず輝いている。年齢を感じさせないその美しさは、やはり一般人にはあり得ないものだ。ミーナさんの周りには、専属同然のスタイリストやヘアメイク、カメラマンにライターが控えている。その人たちの視線を浴びながら奈央は緊張気味に挨拶した。

「こんにちは」

「専属モデルになったことは、南城編集長から聞いてたのよ。どう、だいぶ慣れた？」

「いえ、まだまだです」

「頑張ってね。今度、よかったら専属モデルになったお祝いに食事でもしましょう」

「えっ、はい、ありがとうございます」

そんな誘いを受けるなんて思ってもいなかったので、奈央は思わず上擦った声で返事をした。

ホールに立ったまま後ろ姿を見送っていると「ミーナさんとお知り合いなの？」と、里美が声を掛けてきた。

奈央は振り向き、頷いた。

「知り合いってほどでもないんですけど、ミーナさんの息子さんが通っている学校の中等部にうちの息子もいるから」

「へえ、そうなの」

そして、その日の撮影が終わった後、奈央は里美からお茶に誘われた。

ふたりはスタジオを出て、近くのティールームに腰を落ち着かせた。それぞれに飲み物を注文すると、里美はすぐさまテーブルから身を乗り出した。

「私、ひとつ企画を出したいと思うの」

「企画？」

奈央は改めて里美を眺めた。

「どんな？」

「ミーナさんと奈央さん、ふたりの企画よ。先輩ミーナさんにアドバイスを受けながら、初心者奈央さんが買い物をするの。定番アイテムから、遊び心のある服までいろいろ。靴とかバッグとか、小物類もいいわね。何なら食器とかタオルとか日用品も。ねえ、それってどうかしら、面白いと思わない？」

どう答えていいかわからない。企画そのものは、奈央にすれば嬉しい限りだが、格下モデルの奈央との企画などミーナさんが気を悪くするかもしれないし、あまり自分を押し出すとスタンドプレーと、周りのモデルとの間に軋轢《あつれき》が生まれることもあるだろう。この世界が女性で作られている以上、嫉妬や野心と切り離せないということは、奈央にもわかる。

「さあ、私には何とも」

奈央は曖昧に答えた。

「大丈夫、私に任せておいて。必ず通してみせるから」

奈央の思いなど気にする様子もなく、里美は自信満々に言った。

15

今日は久しぶりにスタジオでの撮影である。

『運命のデニムを探す』というコンセプトで、カジュアルからお出掛け用まで、幾種類ものデニムを穿き替えながらの撮影だ。参加するモデルは四人いる。

メイクを終え、控え室に入ると、奈央はスタイリストから渡されたトップスとデニムに着替えた。担当編集者はいつものように黒沢洵子だ。慣れている人がそばにいてくれるのはやはり心強い。ましてや今日のメイクはトモさんだ。

控え室から隣にあるスタジオに行き、幾通りかのポーズで写真を撮った。帰ろうとすると、洵子が言った。

「ついでに後ろ姿もお願いできますか」

言われた通り、奈央はカメラの前に立ち、背を向けた。ヒップを写されるのはちょっと緊張するが、これも仕事のひとつである。それから次の服に着替えるため、控え室に戻って慌ただしく着替えた。そうやって再びスタジオに行くと、さっきとは打って変わった緊張感に包まれていた。

「そんなカットがあるなんて、私、聞いてないけど」

スキニーデニムを穿いたモデルが、洵子に抗議している。

「でも、パンツはやっぱりヒップ周りが気になりますから、読者の方たちも写真があった方が参考になると思うんです。サブカットということで、ほんの二、三枚でいいですから、お願いできませんか」

洵子の説得に、モデルは不機嫌そうに眉を顰めた。

「そういう問題じゃないのよね」

彼女は専属というわけではないが、『ヴァニティ』ではベテランの部類に入り、ページもたくさん抱えている。二十年近く前、ティーン向け雑誌のモデルをしていたという実績があり、奈央も顔をよく覚えている。

「ちょっと休憩にしてもらえるかしら」

そう言うと、モデルは洵子の返事も待たずにさっさと控え室に戻って行った。洵子もさすがにむっとした表情を浮かべている。化粧直しでいたトモさんはため息をつき、カメラマンや助手たちは肩をすくめている。撮影待ちをしていたふたりのモデルも困惑顔だ。

奈央はトモさんに近づいた。

「どうしたの?」

「早い話、後ろ姿の写真を撮るのはいやだってこと」

「でも、モデルって、言われた通りのポーズをとるのが仕事でしょう」

「そうだけど、最近はいろいろ難しくてね」

トモさんがそう言ったとたん、洵子の携帯電話が鳴り出した。洵子はそれをポケットから取り出し、画面を眺めて、いっそう渋い顔をした。

「はい、黒沢です……ええ、わかっています。でも、それくらいの内容変更は受け入れていただいても……はい、はい、そんなつもりはありません……わかりました。そうします」

電話を切ると、洵子はカメラマンに告げた。

「後ろ姿の撮影はナシで行きます」

それからアシスタントに「彼女にそう伝えて、スタジオに来るよう言ってください」と頼んだ。

平静を保っているように見せかけてはいるが、洵子の頰は強張っていた。

「今の電話って?」

奈央は再び、トモさんに尋ねた。

「たぶん、さっきのモデルが所属しているプロダクションね。彼女が携帯で連絡を入れて、マネージャーから黒沢さんに抗議の電話が入ったってところじゃないの」

「へえ……」

「最近、プロダクションに所属しているモデルも多いから」

やがて彼女が姿を現した。今のトラブルなどなかったように、にっこり笑ってカメラの前に立つ。洵子も何も言わない。もちろんカメラマンやアシスタントもだ。トモさんが、パフを手に彼女の化粧を直しに行った。

「プロダクションに所属するのが悪いってわけじゃないのよ」

戻って来たトモさんが、再び、奈央の隣に立った。

「個人で動いているモデルって、やっぱりいろいろ大変だもの。ギャラの交渉から日程の調整まで全部自分でやらなきゃいけないでしょう。タチの悪い雑誌なんかだと、事前の打ち合わせではワンカットのみ、なんて言っておきながら、当日五カットも六カットも平気で撮っちゃうこともあるの。もちろん、ギャラはワンカットと同じままでね。そういうことを自分できちんと交渉したり抗議したりできるならいいけど、できないと、いいように使われるだけ」

なるほどなぁ、と思ってしまう。交渉事は奈央も苦手だが、苦手というだけで済ませられないのがプロだろう。

「でもね、だからって、何もかも契約優先になると、やっぱりいい誌面って作れなくなるのよ。現場に入って、こうしたらもっとよくなるっていうの、あるでしょう。みんなの思いは少しでもいい誌面にしたいってことだから、聞いてないとか、話が違うとか、ギャラはどうなる、なんてことばかり前面に出てくると、現場の雰囲気も悪くなるのよね」

「プロって、やっぱり大変なのね」

思わず大きく息を吐き出すと、トモさんが呆れたように言った。

「プロって名が付く仕事はみんな大変に決まってるでしょ。あなたもそうだってこと、忘れないで」

「あ、はい」頷いたものの、正直なところ、自分がプロのモデルであることに、奈央はまだピンと来ていない。読者モデルの感覚が抜けない。プロのモデルとしてそれなりのポジションを得るには、きっとスタイルや容姿以外に必要なものがあるのだろう。でも、それが何なのか、奈央にはまだわからない。

とにかく撮影は何とか無事に終了し、奈央は控え室に戻って私服に着替え始めた。少し遅れて三人のモデルが入ってきた。

「すごいわぁ、ちゃんと自己主張するなんて、さすがよねえ」

「前々から思ってたんだけど、編集者って、どこかで『使ってやってるんだ』って意識があるのよね。私、見てて、すっきりした」

ふたりのモデルが、さっきの撮影を拒否したモデルを手放しで賞賛している。彼女の方も意気揚々だ。

「相手に舐められたら終わりよ。私はプライドを持ってこの仕事をしてるんだから、どんな時だって、言うべきことはちゃんと言わせてもらうわ」

そうよねえ、まったくよねぇ、見習わなくちゃ、とふたりのモデルはさかんに頷いている。奈央は着替えながら、黙って話を聞いている。

まだまだ周りのモデルたちと気さくに交わることができない。せいぜいが世間話程度の会話ぐらいだ。女同士の付き合いは、女子高女子大育ちの自分にしたら結構得意な方だと思っていたのだが、きらびやかなモデルたちを前にすると、どうにも腰が引けてしまう。

彼女がふと、奈央に顔を向けた。

「あなたもね、もう少しプロとしての自覚を持ったらどうなの。あんな簡単に予定外の撮影を引き受けられると、こっちも困るのよ。そういうこともちゃんと考えて行動してくれなきゃ。そんなだから読者モデル上がりは意識が低いって言われるの」

そんなことを言われるなんて思ってもなく、奈央は身を硬くして、「すみません」と頭を下げた。彼女は、ふん、と目を逸らし、とってつけたように腕時計を眺めた。

「あらやだ、もうこんな時間。次の仕事に遅れちゃう。じゃ、お先にね」

ブランドのロゴが大きくついたバッグを手に、彼女は慌ただしく控え室から出て行った。

とたんに、「よく言うわよねぇ」と呆れたように言ったのは、つい今まで彼女を賞賛していたモデルのひとりだ。

「自分がどれほどのモデルだっていうのよ、二十年前の過去の栄光にすがってるだけじゃない。えらそうに」

「そうそう、プライドばっかり高いモデルって始末におえないの。プロダクションもいい迷惑なんじゃないの。何が、次の仕事に遅れちゃうよ。スーパーのチラシかなんかじゃないの」

そして奈央を振り返った。

「あなたも気にすることなんかないから」

はい、と頷きながらも、奈央は背中がぞくりとした。

彼女たちと身近に接するようになって、よくわかったことがある。顔を合わせれば、それなりに仲良さそうに振舞っているが、本当のところでは決して心を許していないということだ。今のように、あれだけ親しくお喋りをしていても、いなくなれば手のひらを返したように悪口を言い始める。多かれ少なかれ女同士にはそういうことがあるが、モデル界という女の戦いの場では、更に強烈に繰り広げられる。やはり一筋縄ではいかない世界なのだと痛感するばかりだ。

仕事と家庭の両立は、今のところうまくいっていた。週に二度か三度、それも三時間ばかりの仕事なので、慣れてしまえば、家事にもほとんど影響はない。

智樹は相変わらず剣道に夢中だ。勉強も頑張って欲しいが、贅沢は望まないでおこう贅沢は望まないでおこうと思っている。子供が真っ直ぐに成長する、それすら今の世の中では大変なことなのだ。

心配事といえば、伸行の会社が不況の煽《あお》りを受け、決算で大幅赤字を計上することになったことだろうか。新聞で読んだ時は不安にかられたが、だからといってどうすることもできない。伸行もそのことについて何も言わない。だから、家ではなるべく明るく振舞うようにしている。

それから数日して、海外有名ブランド『G』のプレスルームに出掛けた。

「そういうところに顔を売っておいて損はないと思うのよ。時間があるなら、ぜひ」

とライターの沖田里美に誘われ、こうして出て来たのである。

オフィスは青山の一等地に建つビルにあった。『G』は奈央の憧れのブランドで、ショップには何度か行ったことがあるが、値段的にとてもじゃないが手が出ない。今日も見物気分だった。

プレスルームに入ると、バッグや靴、ベルト、財布やキーケース、その他にもアクセサリーや小物類が数多く展示されていた。それもニューモデルのものばかりだ。

「まあ、里美さん、お久しぶりです」と、広報担当の女性が満面の笑みで近づいて来た。

「何でも『ヴァニティ』に引き抜かれたとか。そちらでもぜひ当社の製品を紹介してくださいね」

滑らかな口調に、里美が鷹揚《おうよう》に応えている。

「何をおっしゃいますか。私ごときの下っ端ファッションライターなんかが書かなくても、『G』の人気は絶大じゃないですか」

「またそんなご謙遜を。里美さんの担当するページの影響力の大きさは身に沁みてわかっています。頼りにしてるんですから」

ふたりのやりとりはしらじらしいが、これもプロ同士の牽制なのだろう。

「そうそう、紹介しますね」と、里美が奈央を振り返った。

「こちら、最近『ヴァニティ』の専属モデルになった宮地奈央さんです」

「はじめまして、よろしくお願いします」

奈央はおずおずと頭を下げた。広報担当は大きく頷いた。

「もちろん存じ上げていますよ。その前は読者モデルでいらっしゃいましたよね。私、その頃から、この人はこのままでは終わらないだろうなって思ってたんですよ。雰囲気が周りの方とぜんぜん違ってましたもの。いずれは『ヴァニティ』を背負って立つカリスマモデルになられるんじゃないかしら」

歯の浮くようなセリフとは、きっとこんなことをいうのだろう。もちろん真に受けるはずもないが、ここまで持ち上げられると笑ってしまいたくなる。けれど、これがこの世界の社交辞令というなら、有り難く受け止めておこう。

「ありがとうございます」

たぶん、初めて、奈央は自分がモデルであることを強く意識して、ほほ笑んだ。

プレスルームに並んでいる製品は、さすが『G』というブランドだけあって当然値が張る。里美と広報担当者が話している間、奈央は室内を回ってみたが、高嶺の花であることを再認識するばかりだ。凝ったデザインのバッグに目が留まったが、もちろん見るだけだ。

「気に入ったものはあった？」

里美から声を掛けられ、奈央は振り返った。

「どれも高くて、私にはとても」

里美が声を潜めた。

「大丈夫、定価の半額以下にしてもらうから」

「ええっ、そんなに安くなるんですか！」

思わず目を丸くすると、里美はくすくす笑った。

「やだわ、そんなにびっくりしないで。それだけお安くなるのは、宣伝して欲しいっていう思惑があるからよ」

「宣伝って？」

「私物紹介とか、そういう時に、さり気なく公開するの。モデルの私物って、読者はかなり注目してるから」

「でも、それくらいのことで半額以下になるんですか？」

「名が売れてるモデルには無償で提供することだってしょっちゅうよ。これはモデルという職業の特権のひとつなんだから、しっかり活用しなくちゃ」

奈央はバッグに目をやった。あの高い価格が半額以下になる。だとしても、今まで買ったどのバッグより高い。けれどモデルのギャラもうすぐ入る。考えてみれば、読者モデルになった時からいろいろ頑張った。こうして晴れて専属モデルにもなれたのだから、少しぐらい贅沢してもよいのではないだろうか。そう「自分へのご褒美」というやつだ。「自分へのご褒美」……なんて心地いい響きだろう。

「私、あのバッグ、買います」

奈央がきっぱり指差すと、里美は目を細めて笑った。

その帰り、ふたりでカフェに寄った。奈央はバッグを買ったことでかなり舞い上がっていて、隣の席に置いてある紙袋が嬉しくて、つい何度も目をやった。

「さっきは、広報の人がいたから言えなかったけど、例のアレ、決まったから」

里美に言われ、奈央はカプチーノが入ったカップを持つ手を止めた。

「例のアレ？」

「ミーナさんとの企画よ。ほら、『先輩に教わるショッピングの極意』っていうの」

「本当に？」

思わず声を上げた。まさか実現するなんて思ってもいなかった。身の程知らずの企画で、ボツになるとばかり踏んでいた。

「ミーナさんも、快く引き受けてくれたそうよ。奈央さん、ミーナさんに好かれているのね。それでね、もうひとつ驚かせることがあるの。ロケはハワイになるから」

「ハワイ……」

鸚鵡《おうむ》返しに、奈央は呟く。

「その上、ロケには南城編集長も同行ですって。新人モデルの撮影として大抜擢じゃないかしら。奈央さん、一緒に頑張りましょうね。いいページにしましょうね」

「は、はい」

奈央はカップを手にしたまま、目をしばたたかせるばかりだった。

16

空港に降り立ったとたん、眩むような太陽と鮮やかなブルーに包まれ、奈央は目を細めた。空も海も目に痛いほど美しい。

ハワイに来たのは三回目である。最初は女子大生の頃に友人と、そして結婚前に伸行とふたりで旅行した。心地よい乾いた風も、南国特有の花の甘い香りも、すべてが心を浮き立たせてくれる。ここは永遠の楽園だと思う。

飛行機の中では、家のことがいろいろと気に掛かっていた。伸行も智樹も、朝はちゃんと起きられただろうか、食事は食べただろうか、などとつい思い巡らせてしまい、落ち着かなかった。自分ひとりで五日間も家を空けるのが初めてだということもあるが、このハワイ取材のことを話した時、伸行があまりいい顔をしなかったせいもある。最終的に「ふうん、ハワイなんて優雅だなぁ」と、ちょっと皮肉めいて言われてしまった。

は「骨休みしてくればいいさ」と送り出してくれたが、夫というのは、どういうわけか、妻がいい思いをすると拗《す》ねる傾向にあるらしい。

とにかく、気に掛かることはいろいろあったが、この海と空を見たら、みんな頭から消えていた。

宿泊先は、ワイキキビーチ沿いにあるホテルで、五階のオーシャンビュー。ひとりに一室が与えられた。奈央は部屋に入ると、すぐさまベランダに出た。広がる海を目の前にして、大きく深呼吸する。身体中が開放感に包まれる。伸行も智樹も大切な家族であることには違いないが、ひとりであるということに、自分でも驚くほど心が浮き立っていた。

少し休憩した後、スタイリストから渡されたラフな、けれども『ヴァニティ』世代らしいエレガントさのあるタンクトップとサブリナパンツとに着替えてロビーに下りた。

ミーナさんと南城編集長、ファッションライターの里美、カメラマンとその助手、スタイリストにヘアメイク、そして奈央の総勢八人は、早速、現地コーディネーターの案内で、最初のロケ場所となるアラモアナセンターに向かった。ここは一階から四階まで、有名ブランドはもちろん、さまざまなショップが軒を連ねている。誰もがショッピング欲に火がつく場所だ。

自然な感じで、と言われたが、ミーナさんとふたりというのはやはり緊張する。自分もずいぶん痩せたと思うが、ミーナさんのスレンダーさに較べたら、ウエストやヒップに肉が付きすぎているのがわかる。ショップを回りながら、商品を手にしたり、身体に当ててみたり、そんなことをする仕草もつい硬くなってしまう。

「私、弟がいるのね」と、不意にミーナさんが言った。

「でも、ずっと妹が欲しかったの。こうして一緒に旅行したり、ショッピングしたりできる。だから、奈央さんのことは妹と思うことにする。奈央さんも、私を姉だと思って、気楽に接してね」

カリスマモデルのミーナさんからそんなことを言われるなんて感激だ。それなら、この撮影旅行の間は、本当の姉だと思って甘えさせてもらおう。

高級ブランド店に入っても、ミーナさんは物怖じすることなく、楽しみながら店内を回っている。

「あら、素敵」と、手にしたのは、持ち手がチェーンのオレンジ色のミニバッグだ。

「このブランドは日本でも有名だし、ショップもたくさんあるけど、こういう色合いはハワイならではよね。大きいバッグだとちょっと派手過ぎるけど、ミニバッグならアクセサリー代わりにもなってくれる。いつも使っているトートバッグと一緒に持っても映えるんじゃないかしら」

ああ、なるほどと、納得する。ミニバッグなら値段もそこそこだし、何より、日本では見られないというのが嬉しい。

また他の店では、サンダルを何足も履いた。

「何より大切なのは歩きやすさだから、お店の人に少々嫌な顔をされても、とにかく履いてみること。以前、やっぱり海外で、とっても素敵な靴を買ったことがあるんだけど、帰って履いてみたらすごく歩きにくくて、結局、下駄箱の中にしまわれたまま。使わないのって、いちばんもったいないもの」

というようなことをアドバイスしてくれる。その頃になると、奈央もすっかり気持ちがほぐれ、時々、カメラで撮られていることも忘れてしまうほどだった。

午後もショップ巡りをして、夕方にホテルに戻り、着替えて、ディナーの撮影に出た。スケジュールは分刻みでかなりタイトだが、今の奈央にはそれさえ楽しい。

日本では、普段とても着ることのできない、背中の大きく開いたドレス、と言ってもリゾート仕様の軽快なものだが、それを着てレストランに向かう。料理は美しく皿に盛られ、色とりどりのカクテルが楽しい。撮影が終われば、スタッフ全員でテーブルを囲み、和気藹々の食事が始まった。

南城編集長も、いつもスタジオや編集部で見るのとは違って、服装も表情もずいぶんとリラックスしている。何度も冗談を言ってみんなを笑わせた。

奈央はふと、南城編集長が夫役を買って出てくれた、あの夜のことを思い出した。あの時も、今と同じような笑みを浮かべていた。編集長という肩書きを下ろした、普通のひとりの男だった。

恋なんて呼べるほどのものでもなかったはずである。ちょっと舞い上がってしまっただけで、すぐに平静さを取り戻したはずである。それなのに、胸の片隅がふるふると頼りなげに揺れている。きっと南国の甘い風のせいだ。目の前にある色鮮やかなカクテルに惑わされているだけだ。少し酔ったのかもしれない。

十時前にはお開きとなり、それぞれ自分の部屋に戻った。明日の撮影もあるので、ちゃんと睡眠を取っておかなければ肌にも影響が出る。それがわかっていながら、奈央は妙に寝付かれず、ベッドの中で何度も寝返りを打った。

翌日の撮影では、地元で人気のショップに行き、小物を見て回った。Tシャツやショートパンツ、スニーカー、ハワイアンキルトを使ったポーチやエコバッグといった比較的安価なものである。それを選ぶのもブランドショップを回るのと同じくらい楽しい。

午後はスパに行き、伝統のロミロミのマッサージを受けた。その後、ネイルサロンに向かい、ポリネシアンショーの見学にも出向いた。

さすがに奈央も疲れを感じていた。結局、昨夜はほとんど眠れなかった。時差ボケのせいもあるのだろう。これがバカンスなら、プールサイドのビーチベッドでゆっくりすることもできるが、何と言っても仕事である。弱音は吐けない。

そうやって二日目の撮影も無事に終え、いよいよ三日目、ロケ最終日を迎えた。海に出てイルカや海亀のウォッチングと、ハワイ王朝の史跡を見物するという、観光気分に浸れるものである。丸二日間一緒に過ごしたミーナさんともすっかり打ち解けることができ、撮影の合間のお喋りも弾んだ。

ふたりでカラカウア通りを歩いていると、観光客の女性に声を掛けられた。

「失礼ですけど、ミーナさんじゃないですか」

奈央と同じくらいの年齢のようだ。ミーナさんがにっこり笑って頷くと、女性の顔がパッと輝いた。

「わぁ、私、大ファンなんです。いつも『ヴァニティ』を楽しみにしてます」

「ありがとうございます」

「ハワイでお会いできるなんて、何てラッキーなのかしら。握手してもらっていいですか」

「もちろん」

ミーナさんが手を差し出すと、女性は感激したように、両手でしっかりと握った。

ああ、やっぱりミーナさんはすごいと思う。自分ももう何度も誌面に載ったが、彼女はまったく奈央には気づかない。眼中にもないみたいだ。

彼女と別れて、再びふたりで歩き始めると、ミーナさんがぽつりと言った。

「たぶん、これが『ヴァニティ』での最後の海外ロケになるはず。奈央さんのおかげで、いい思い出ができたわ。ありがとう」

奈央は思わず顔を向けた。

「ミーナさん、本当に辞めてしまうんですか」

「仕方ないことだもの、私はもう『ヴァニティ』のターゲット年齢にしては歳をとってしまったから」

切ない思いが奈央の胸に広がる。

「辞めた後は、どうされるんですか」

「まだ何にも決めてないの。しばらく主婦に戻ろうかな、なんて考えているのよ。奈央さんには見られちゃったから正直に話すけど、今、家の中が少しぎくしゃくしてるのね。このままじゃいけないって気持ちもあるの」

ミーナさんの家に遊びに行った時の光景が思い出される。作家のご主人と、高校生の息子さん、そして隣に住む姑。『ヴァニティ』の誌面で美しく華やかに笑うミーナさんも、私生活ではいろんな問題を抱えている。

「奈央さんには『ヴァニティ』で頑張って欲しいな」

「でも、失敗ばかりで」

「失敗はつきものよ。でも、失敗を怖がらないこと。そして、同じ失敗を繰り返さないこと。大切なのはそのことよ」

ミーナさんは素敵だ。大人の女性とはこういう人のことを言うのだ。少しでも近づきたいと思う。頑張ろうという気持ちが改めて湧いてくる。

今日が最終日ということもあって、スタッフ全員、早めにホテルに戻って来た。明日は早朝に出発なので、食事はホテルのレストランで、打ち上げも兼ねて行われることになった。

六時過ぎ、みなでテーブルを囲んだ。シャンパンが抜かれ、乾杯！　とグラスを重ね合わせる。撮影が無事終了したこともあって、誰もがすっかりハイテンションだ。

ただ、その中で、奈央は自分の身体がやけに頼りなく感じた。何だか椅子から五センチばかり宙に浮いたような感覚だった。乾杯で飲んだシャンパンが回ったのかもしれない。緊張が解けて気が緩んだのかもしれない。実を言うと昨夜もあまりよく眠れなかった。外の風に当たりたい思いもあったが、せっかくみんなが楽しんでいるのに雰囲気を壊すようなこともしたくない。

食事も中盤に差し掛かった頃、斜め向かいに座る南城編集長が怪訝な目を向けた。

「奈央さん、どうしたの、顔色が悪いようだけど」

「いえ、そんなこと――」

「冷房が効き過ぎているのかもしれないね、店の人に頼んでちょっと弱めてもらおう」

「私なら平気です。すみません、ちょっと失礼します」

そう言って、洗面所に向かおうと席から立ち上がった時だった。身体がぐらりと揺れて、目の前が真っ白になった。一瞬、何が起こったのか自分でもわからなかった。

奈央さん！

遠ざかる意識の中で、ミーナさんの声が聞こえたような気がした。

目を開けると、部屋のベッドだった。

「気がついた？　お水でも飲む？」

目の前に不安そうな里美の顔があり、奈央は慌てて起きようとした。

「いいのよ、そのまま寝てなさいって」

「私……」

「食事の途中で倒れたの。初めての海外ロケで緊張と疲れが出ちゃったのかな。貧血だろうって、ホテルのお医者様が言ってた」

枕もとの時計を見ると、八時を少し過ぎたところだった。

「みなさんは？」

「もう部屋に引き揚げた」

「すみません、私がこんなことになったから……」

「ううん、みんなも疲れてるから。明日も早いし。奈央さんが気にすることはないの」

プロのモデルは体調管理が基本中の基本だ。いくら撮影は終わったとはいえ、こんな状況になってしまった自分が情けない。

ふとソファを見ると、見覚えのあるパーカが掛けられていた。

「ああ、南城編集長ったら忘れていったんだ。覚えてない？　倒れた奈央さんを編集長が部屋まで運んでくれたのよ」

思わず頬が熱くなった。ぜんぜん記憶にない。

「もう大丈夫みたいね」

「はい、ご迷惑をお掛けして申し訳ありませんでした」

「じゃあ、私は部屋に戻るから」

奈央はベッドから起きて、里美をドアまで見送った。

「ありがとうございました。おやすみなさい」

里美がドアの向こうに消えると、奈央はソファに近づいた。南城編集長のパーカに触れてみると、まるで体温が残っているようなぬくもりを感じた。

そのままベランダに出て、ぼんやり海を見下ろした。ビーチにひたひたと波が打ち寄せている。風も心地よく、月もくっきりと浮かんでいる。時折、若いカップルが手をつないで散歩しているのが見える。

南城編集長に抱きかかえられて部屋に運ばれたのをまったく覚えていないのは、幸運なのか不運なのか、けれどもそれはあまり考えてはいけないような気がした。

今夜でハワイともお別れなのね――。

この三日間、本当に楽しかった。来てよかったと心から思える。それなのに、胸の中に、くすぶるものがあった。最後の夜ということで、少し感傷的になっているのかもしれない。

その時、プールサイドを抜け、ビーチに向かう人影に目が留まった。奈央は思わずベランダの手摺《てすり》から身を乗り出した。

あれは——。

南城編集長だ、間違いない。散歩だろうか。南城編集長も、最後の夜を名残惜しく感じているのだろうか。

自分でも驚くような強い感情が、奈央の胸を覆った。一緒に歩きたい、ハワイの海と風に包まれながら。でも、そんなことできるわけがない。と思った瞬間、奈央は部屋を振り返った。パーカがあるではないか。あれを返さなきゃいけない。そう、返しに行くだけ。ただそれだけだ。言い訳としか思えないことには目をつぶり、奈央はパーカを手にし、そのまま部屋を飛び出した。

息を切らせながらビーチまで来たものの、南城編集長の姿はない。もう遠くまで行ってしまったのだろうか。入れ違いで部屋に戻ってしまったのだろうか。奈央はそれでもしばらく、姿を求めてビーチを歩いた。ホテルからの明かりだけが頼りだ。何組かのカップルとすれ違ったが、南城編集長の姿はない。

私ったら——。

奈央は自分に苦笑したい気持ちになった。矢も盾もたまらず追いかけて来るなんてどうかしている。パーカは明日返せばいい。そうすればいいだけのことではないか。そう思って踵《きびす》を返そうとした時、見覚えのある姿が目に飛び込んで来た。

「あ……」

しかし、南城編集長はひとりではなかった。隣にもうひとつの人影があった。それがミーナさんであることに、奈央はすぐに気づいた。

きっと偶然だ。お互いにひとりで散歩していて、ビーチでたまたま顔を合わせただけに違いない。

けれど、そうでないことはすぐに知らされることになった。

ふたりは足を止め、互いを見つめ合った。奈央は息を呑む。やがてそのシルエットはひとつになった。

17

ハワイロケから帰って以来、奈央は胸の中にくすぶる思いを払拭《ふっしょく》できずにいた。

ミーナさんと南城編集長の姿が、頭から離れない。そんなことを言える道理はないのに、裏切られたような気持ちになるのはなぜだろう。自分が想像していたミーナさん、自分が思い込んでいた南城編集長、ふたりとも奈央の知らない一面を持っていた。

あれから、ミーナさんとは会っていないが、会いたくない気持ちもある。どんな顔をして会えばいいのか、それを考えるとちょっと憂鬱になる。それでも近いうちにまた一緒に仕事をすることになるだろう。何しろ、ライターの里美が会議にふたりセットの企画を何本も提出していると聞いている。

今日は代官山のオープンカフェで撮影が行われた。

今日のメイクはトモさんだ。撮影終了後、時間があったので、ふたりで一緒にお茶をすることにした。

「はい、ハワイのおみやげ」

奈央が包みを差し出すと、トモさんは嬉々とした表情で受け取った。

「やだぁ、そんな気を遣ってくれなくてもよかったのにぃ。何かしら」

すぐに包みを開いて、「あ、バスジェル。いい香り」と、鼻を近づけた。

「ハイビスカスとかココナッツとかフルーツとか、いろんなのが入ってるの」

「ありがと。今夜から早速使わせてもらうね」

ふたりの前に、ハーブティーが運ばれてきた。店の中は、ほぼ半分が埋まっている。

少し離れた席でケーキを食べている主婦らしき三人連れが、ちらちらとこっちを見ているような気がする。

「あなたのこと、知ってるのよ」

「えっ、そうかな」

ハワイでは無視されてしまったが、少しは知られるようになったのかもしれない。奈央は慌てて背筋を伸ばし、足を揃えて斜めに流した。リラックスし過ぎていると「あれで『ヴァニティ』のモデル？」なんて、失望されてしまう。

「ねえ、ロケから帰ってきてから、あまり元気がないみたいだけど、あっちで何かあった？」

奈央はトモさんに目を向けた。さすが人の顔を見る仕事をしているだけあって、勘が鋭い。

「あったってわけじゃないけど……」

「つまり、あったってことよね。何なの？」

言えば、告げ口になる。あの偶然の目撃は、胸にしまっておくのがルールというものだろう。それでも、くすぶる思いが奈央に口を割らせようとする。言葉をオブラートに包みながら、奈央は尋ねた。

「あのね、ミーナさんと南城編集長のことなんだけど」

トモさんが、あら、というような目を向けた。

「ミーナさんが表紙モデルになったのは、南城編集長の後押しがあったからなのよね」

「そうだけど、どうして？」

奈央は口籠《くちごも》りながら答えた。

「ううん、別に意味はないの。ただ、ちょっとそんな話を聞いたから」

「それはつまり、私に探りを入れてるわけね」

トモさんが奈央の顔を覗き込んだ。

「何のこと？」

「私を誰だと思ってるの？　それぐらい読めるわよ。つまり、ミーナさんと南城編集長の関係はどうなんだってことを知りたいのよね」

「それは……」

「ふたりは長いわよ、ミーナさんが『ヴァニティ』に来てからすぐだから、もう七、八年ぐらいの付き合いになるんじゃないかな。もちろん、その付き合いっていうのは、男と女っていう意味も含まれてる」

呆気に取られて、奈央はトモさんの顔を眺めた。

「まあ噂よ、あくまで噂だけどね。別に決定的な証拠があるわけじゃないもの。でも、ふたりのことは、結構な人がそう思ってるんじゃないかな。直接その話に触れたりはしないけど、暗黙の了解っていうか」

「つまり、それは……不倫ってことよね」

「噂が正しければ、そういうことになる」

「葵さんと山下カメラマンの時は、結局、葵さんが辞めることになったでしょう。ミーナさんと南城編集長は？」

「葵さんの場合は関係者に写真が送りつけられるなんて派手な騒ぎになっちゃったから、しょうがないわよ。でもミーナさんと南城編集長に確実な証拠はない。たとえふたりで食事してたって、打ち合わせと言われればそれでおしまいだしね。だいたい一読者モデルと一緒にしちゃ駄目よ。レベルが違うんだから。ふたりは『ヴァニティ』の看板モデルと編集長なのよ。誰もそこまで追及できないって」

「そうよね……」

トモさんは、あくまで噂話を前提にしているが、ふたりの仲はすでに相当知れ渡っているようだ。奈央にしたら、あのキスシーンを見たのだから、今更、そんなことを聞かされても驚くわけではない。ただ、くすぶる思いがいっそう膨らんでしまったことだけは確かだ。

「じゃあ、ミーナさんが『ヴァニティ』を卒業したら、あのふたりはどうなるのかしら」

「そこなのよねえ」

トモさんが息を吐く。

「一時は、南城編集長がミーナさんのために新しい女性誌を立ち上げるって話も出てたんだけどね」

「ああ、言ってたよね」

「アラフォーの次のアラフィフ世代って、これから注目されるでしょう。だから、ミーナさんもすっかりその気でいたらしいんだけど、ほら、世の中が急に不景気になったじゃない。広告を集めるのが難しいってことで、話が流れちゃったのよ」

奈央は聞き入るばかりだ。

「ミーナさんにしたら、もしかしたら、南城編集長に裏切られたって思いがあるかもしれない」

「しばらく主婦に戻るようなこと、この間、言ってたけど」

「まあね、ミーナさんの家の中もかなりゴタゴタしてるみたいだから、もしかしたら、これを機に家庭を立て直す方に力を注ぐってこともあるかもね。でも、わかんない。カリスマモデルにまでなっておいて、すっぱりこの世界から身を退けるものかなあ。まあ、何が起きてもおかしくないんじゃないの」

家に帰って、夕飯の仕度をしながら奈央はぼんやり考えている。

それぞれに家庭がありながら恋におちるということ。

奈央はまだ経験はない。恋をしたいかと問われれば、笑って「もちろん」と答えるだろう。けれど、実際にできるかどうかとなると話は別だ。

恋をするというのは、この世の中でその人がいちばん大切になることだ。夫より子供よりも、だ。もし実際に、そんな人が現れたらどうすればいい。

家庭を捨てる？　まさか。今の奈央には考えもつかない。小さないざこざはあっても伸行は優しい夫だし、何より、息子の智樹はかけがえのない存在だ。このふたりを捨てて、恋に走るなんてできるはずもない。

でも、きっと、本気で恋してしまったら、きっと何も見えなくなってしまうのだろう。その人だけを求め、その人だけのために生きたくなるのだろう。恋とはそういうものだ。だから、怖い。

その夜、ベッドに入ってから、奈央は伸行に言った。

「ねえ、そっちに行っていい？」

伸行は少し照れ臭そうに布団の端を浮かせた。

「うん、おいで」

胸の中に残るくすぶる思いを、少しでも拭い去ってもらいたかった。南城編集長の顔が頭の隅をちらりと掠めたが、奈央はそれを振り切るように、伸行のぬくもりの中に身を滑り込ませた。


それから二週間ほどして、スタジオに行くと、片隅のテーブルで撮影待ちのモデルたちが顔を寄せ合って話し込んでいた。

奈央の顔を見ると、中のひとりが「ニュース、ニュース」と、手招きした。奈央は近づき、その中に入った。

「何かあったんですか？」

「『ヴァニティ』誌面の大幅リニューアルが決まったんだって」

「え……」

「何でも、ふたりの新モデルが来て、新しいページを持つことになったんですってよ」

別のモデルが小声で付け加える。今はみな、モデルというよりただの噂好きの女の顔をしている。

「やっぱり、ミーナさんの卒業があるから、編集部も次の表紙モデルの候補を考えてのことじゃないの」

「そうかもしれないけど、だからって大沢《おおさわ》レイ子はないんじゃないの」

その名に、奈央は目をしばたたいた。

大沢レイ子はモデル出身のタレントだが、二年ほど前に離婚している。元夫はいろいろとトラブルを起こすことで有名なミュージシャンで、子供は確かふたりいる。離婚の時、テレビのワイドショーで派手に報道されたが、それをよく覚えているのは、離婚の理由が、夫曰く「ミュージシャンに家庭はいらないとわかった」からだ。あの時は、ずいぶんと女性たちからのブーイングがあったはずだ。

「『ヴァニティ』も変わったわよねえ」と、すでに長いキャリアを持つモデルが呟いた。「この女性誌は、幸せな奥さんっていうのがテーマだったじゃない。仕事を持ってるにしても、あくまで家庭に軸足を置いてるっていうスタンスだったのに、離婚してる人をモデルで使うなんて、じゃあいったい今までは何だったのってことになるじゃない」

なるほど、とそれは奈央も頷ける。

もちろん離婚が悪いなんて思っているわけじゃない。この歳になればそういう女性がいて当然だし、実際、友人の中にも離婚経験者はいる。ただ、彼女が言うように何も『ヴァニティ』でなくてもよいのではないかと思える。大沢レイ子ならもっと別の、美容やメイク、ブランド製品をメインにしている女性誌の方が似合っている。

「もうひとりの野中真奈美《のなかまなみ》にしてもさ」

先のモデルが口を尖らせた。

「離婚はしてないけど、子供がいないでしょう」

野中真奈美は女優で、夫も名の知れた俳優である。彼女は一時、高視聴率女優と言われたほどに人気を誇ったが、結婚と同時に長期休養に入った。あまりに長い休養で、実質引退と思われていた。

「子供がいるいないを、個人的にどうこう言うつもりはないのよ。でも、ママ友ファッションとか、学校行事向けメイクとか、そういうページは『ヴァニティ』に欠かせないわけじゃない。そういうの、野中真奈美はやれないだろうし、まあ、本人だってやりたくもないだろうし。それって『ヴァニティ』としてどうなのよって思うわけ」

「編集部は、つまり『ヴァニティ』そのもののイメージを変えようとしてるんじゃないかしら」

「変えるって？」

「だから、今までの幸せな奥さんってスタンスから、何でもアリのアラフォー女性誌に移行しようとしてるってこと」

モデルたちの表情がいっせいに曇った。

「そうかもね……。だとしたら、これからどんどんモデルの入れ替えがあるんだろうな」

「うーん、私たちもぼやぼやしてられないわねえ」

モデルという職業は、華やかさばかりが目立つが、実はいろいろと制限も多い。大手出版社の女性誌で仕事をするとなれば尚更だ。競合する女性誌への登場はもちろん許されないし、イメージを崩すような、たとえば安さが売りのスーパーなどのチラシに出ると、編集部からクレームが来る。『ヴァニティ』のイメージが損なわれるからだ。通販などのカタログの仕事も同じで、ある程度以上の富裕層相手のものでなければならない。モデルとしてそれなりの報酬はあるが、実は、チラシでも通販でも何でも仕事を受けられる、ある意味、二流どころのモデルの方がずっと稼ぎがよかったりする。それでも、モデルたちはやはり人気のある女性誌に出たがる。もちろん、モデルとしてのプライドがあるからだ。

果たして自分は生き残っていけるのか、奈央はふと考える。この美しいプロのモデルたちでさえ戦々恐々としている世界である。のんびり構えていたら、居場所がなくなってしまう。

その時、スタジオの入口から甲高い声が聞こえてきた。

「ちょっと、それ、どういうこと」

みなの視線がいっせいに注がれた。安永舞子だった。

「すみません、編集会議で決まったことなので」

答えているのは黒沢洵子だ。

「ページを割いてくれるって言うから、私もショップの人に頼んで、いろいろと用意してもらったのよ」

「そちらには、私の方からお詫びの連絡を入れておきます」

「そういう問題じゃないのよ、私の信用に関わることなの。聞いたけど、大沢レイ子と野中真奈美には結構なページをあげるらしいじゃない。それってあんまりじゃない。今まで『ヴァニティ』のために頑張って来た私なんてどうでもいいってことなの。編集部はこういう仕打ちをするの」

「いえ、決してそんなことはないですから」

「いいわ、もう。あなたじゃ話にならない。南城編集長と直に話すから」

そのまま舞子はスタジオを出て行き、その後ろを洵子が慌てて追いかけてゆく。

「相変わらずよねえ、舞子さん」

「いつものアレでしょ」

「そうそう、アレよ、アレ」

「アレって何ですか？」

奈央は尋ねた。

「舞子さん、『ヴァニティ』に紹介するって、いろんなショップに声を掛けてるのよ。そりゃあ、舞子さんはミーナさんについで人気があるから、店にとってはものすごい宣伝になるでしょう。でも、ちょっとやり過ぎよね。バックマージン貰ってる、なんて噂もあるくらい」

「へえ……」

奈央の知らないところでいろんなことが起きているらしい。

そこに、カメラマンのアシスタントがやって来た。

「撮影、入ります」

はーい、と、モデルたちがいっせいに席から立ち上がる。

その時にはもう、ただの噂好きの女から、きらびやかなモデル顔へと豹変していた。

18

どこかぎくしゃくした思いを抱えながらも、今日はミーナさんと一緒の仕事である。里見の企画が通ったのだ。

『おしゃれ冒険者になる』というコンセプトで、これまでの『ヴァニティ』のイメージとはちょっと違うショップを見て回るという企画だ。青山や代官山や自由が丘ではなく、渋谷や原宿にあるギャル系女子の店である。もちろん里美も同行している。

有名ブランド店も腰が引けるが、こちらの方も居心地が悪い。店員は二十代前半で、対応もタメ口。ファッションは、チェックに花柄、フリルやキラキラが付いていて、とにかく全身デコレート状態だ。その上、やっぱり安っぽい。いったい、どう冒険すれば、このファッションを取り入れられるのだろう。

しかし、ミーナさんはとても楽しそうだ。

「アウターで着るのはさすがに抵抗があるけど、インナーなら面白いんじゃないかな。ほら、このスパンコールのタンクトップなんか、シックなグレーのカーデの下に合いそう」

そう言われると、確かにそう思えてくる。

「『ヴァニティ』世代って、ついつい無難にまとめちゃうところがあるでしょう。時には、弾けるのも必要よね。でも、そんな服はワンシーズンで着倒すことになるだろうから、高いお金を掛けるのはもったいない。そういう時こそ、若い子たち向けのショップで、いいとこだけ、賢くちょこっと盗んじゃうの。やっぱりファッションは楽しまなくちゃ」

棚やハンガーに、びっしり詰め込まれている服の中から、ミーナさんはするりと「これ、いいわね」と取り出してくる。そのたび、奈央は感心してしまう。派手だがちゃんと品があり、安くても質はそう悪くない。

「誰もが必ず持ってる黒ジャケットの下に、こんなフリルのブラウスを合わせたら、女友達とのランチにぴったり。女同士の時って『あ、それ、可愛い』って言わせた者勝ちってところがあるでしょう」

なるほど、と思ってしまう。どんなに高級品でも、いつも同じだと見飽きてしまう。すでにブランド神話も崩れつつある世の中だ。それを考えてもミーナさんの言葉には説得力がある。

ロケを終えてバスでスタジオに移動する途中、いろいろ買い込んできた服を広げながら、三人ですっかり盛り上がった。

「それにしても、ショップについてはミーナさんの発案って聞いてびっくりしました」

と、里美が言ったので、奈央の方が驚いた。

「え、そうなんですか？」

ミーナさんが笑った。

「せっかくだから、残りの誌面では面白いことをやってみたかったの」

里美が続ける。

「この企画だけじゃなくて、ミーナさん、最近は編集会議にも参加して、いろいろ意見を出されているんですよね」

「意見なんてほどのものじゃないけど、何か役に立つことがあったらって、隅っこの席に座らせてもらってるの」

「新しいモデルの大沢レイ子さんと野中真奈美さんの起用も、ミーナさんが提案したんでしょう」

「『ヴァニティ』も少しずつ変化が必要かなと思って」

「確かに、ここのところ売上げ部数が落ちていて、編集部もいろいろ大変みたいですね。その上、ミーナさんの卒業もあるし」

「今までお世話になったご恩返しのようなものよ。『ヴァニティ』は、いつもアラフォー世代を牽引する女性誌であって欲しいから」

やっぱりミーナさんはすごい。自分とは関係なくなる雑誌とわかっていたら、後はどうとでもなれ、と知らん顔をしても不思議ではないのに、最後まできちんとやり遂げようとしている。

でも、と、奈央はつい邪推してしまう。もしかしたら、それも南城編集長のことがあるからだろうか。

それからしばらくして、智樹とふたり、夕食を食べていると、こんなことを言い出した。

「ほら、ママと同じ雑誌に出てる人の息子っていうのが高等部にいるじゃない」

「ああ、ミーナさんの息子さんね」

「留学するらしいよ」

「え？」

奈央は思わず箸を持つ手を止めた。

「どこに？」

「ウイーンとか聞いたけど」

「へえ」

ハワイでは「しばらく主婦に戻ろうかと思うの」と言っていた。息子をウイーンに留学させるということは、もしかしたら、家族三人で移住するつもりなのだろうか。確かに、姑が隣に住むあの環境は息苦しいものだろう。

「ウイーンに家族で住むなんていうのも素敵かもね」

「そこ、全寮制だって」

「あら」

行くのは息子だけということか。

「いいなぁ、僕もいつか留学したいなぁ」

智樹の言葉に、奈央は頷く。

今の時代、グローバルな生き方をさせてやるのは親の務めというものだろう。語学も堪能になって欲しいし、世界を股にかける仕事にも就いてもらいたい。

そのくせ、智樹は一人っ子なので、ずっとそばにいてくれたら、という思いもある。結婚して同居しろとまでは言わないが、休日はお嫁さんや孫と和気藹々と過ごすことができたら。何より、そうなれば老後が安心だ。

そんなことを考えて、奈央は思わずぶるると首を振った。老後なんて考えるのは早すぎる。自分にはやりたいことがまだまだたくさんある。

若い頃は、奈央の今の年齢なんて、ものすごくおばさんに見えた。未来とか夢とか、そんなものなどとっくに諦めていると思っていた。でも『ヴァニティ』で知ったモデルたちを見ているとよくわかる。みんな、まだまだ降りないし、決して負けない。欲も捨てない。その意志は若い頃よりむしろ強靭《きょうじん》に感じる。

もしかしたら、そんな様子は二十代の女の子からすれば「痛い」と映るかもしれない。でもどう思われようが構わない。彼女たちの若さは羨むけれど、戻りたいとは思わない。結婚や出産に躍起になる時期を終えて、これからようやく、自分のために時間を費やすことができる年代に入ったのだ。

私の夢。

奈央は頭に思い描く。とてもじゃないが口にできないし、言ったら笑われるだけだが、『ヴァニティ』の表紙を飾ることができたら。ああ、もしそうなったらどんなに嬉しいだろう。あんな服を着て、こんなポーズをとって、いろんな場所で撮影して。

「おかわり」

「あ、ああ、はいはい」

奈央は目の前に差し出された茶碗に、瞬く間に現実に戻された。

ここのところ、ミーナさんはさまざまなモデルたちと交流を持つようになっている。決して付き合いにくい人ではないのだが、トップモデルという立場もあって、周りが気を遣い、ついつい近寄りがたくなっていたところがあった。それが、最近では、撮影のない時も「差し入れよ」と言って、人気のスイーツを手にひょっこりスタジオに現れたりする。

「ミーナさん、今日はみんなに手作りクッキーを振舞ってたわね」

メイクを施してくれていたトモさんも驚いている。

「うん、私もさっきいただいたけど、ジンジャークッキー、すごくおいしかった。ミーナさんってお菓子作りも得意なのね」

「ミーナさん手作りなんて、そこいらの人気店よりレアものよね」

奈央としては何となく複雑な思いがあった。ミーナさんには洋服を貰ったり、一緒のページを持ったりと、他のモデルたちより仲がいいような気がしていた。でも、ミーナさんにしたら、奈央も他のモデルたちと同じなのだろう。

「やっぱり卒業が近づいているから、寂しいのかも。何せ『ヴァニティ』創刊の時からの表紙モデルなんだもの」

南城編集長とはどうなるの……と、聞きたい気持ちはあるが、もちろん黙っている。噂好きと思われるのも嫌だったし、何より、自分がふたりのことを気にしているということで、トモさんにあらぬ誤解を招きたくなかったからだ。

けれど、そんなことを考えること自体、自分がどれだけ南城編集長を意識しているかの証拠のようにも思えた。

だから、南城編集長から「奈央さん、今度、時間を取ってもらえないかな」と、声を掛けられた時は、すっかりうろたえてしまった。

撮影を終え、私服に着替えて帰ろうとする時だった。

「奈央さん、近々ランチでもどう？」

「は、はい」

突然の申し出にどぎまぎして、頷くのが精一杯だ。

「あさっての都合は？」

仕事はないし、これといった用事もない。

「大丈夫です」

「よかった。食べたいもののリクエストはある？」

「いえ、別に」

「そうか。じゃあ、とっておきのおいしいイタリアンの店があるんだ。そこにしよう」

舞い上がったまま場所と時間を約束したものの、家に着いた頃は逆に不安が広がっていた。もしかしたら悪い話ではないだろうか、そんな思いが湧いてくる。

今のところ、ミーナさんと一緒に持っているページの評判はいい。それがミーナさんの人気のおかげということはじゅうじゅう承知している。ミーナさんが卒業までは続くことになるだろうが、問題はその後だ。当然、このページは終了する。つまり、奈央の必要性もなくなってしまう。

最近の『ヴァニティ』は、どんどん誌面が変化している。新しくモデルとして参加するふたりがそのいい例だ。ミーナさんが卒業すれば、もっと大きな変貌を遂げることになるだろう。先日も、モデルたちから「モデルの入れ替え」について、いろいろと噂を聞かされたばかりだ。こんな状況の中で、読者モデル出身の奈央など、もう必要とされないかもしれない。

もしそうだったらどうしよう……。

そんなことばかり考えていたので、翌々日、待ち合わせの日比谷公園近くのレストランに入った時はずいぶん緊張していた。

お堀が見える席から、南城編集長が手を挙げて合図を送ってきた。奈央は慌てて近づいた。

「今日はお招きいただいてありがとうございます」

「こちらこそお呼びたてして申し訳ない。どうぞ、座って」

奈央は向かい側に腰を下ろした。ふと、ハワイでのミーナさんとのシーンが思い出されたが、無理やり頭から追い払った。

「本当はテラス席にしたかったんだけど、モデルに日焼けはご法度だからね。さあ、何を食べようか」

メニューを開き、いくつかあるランチの中からメインが魚のコースを選んだ。せっかくだから、と、グラスシャンパンを勧められ、それもいただくことにした。

乾杯して、南城編集長は穏やかな笑みを浮かべた。

「どう？　仕事は」

「楽しくやらせてもらってます。周りのモデルさんたちは、みんなキャリアを積んでる方ばかりなので、見習わなければならないことが多くて」

「奈央さんの長所は、プロ擦れしていないところなんだから、あまり影響され過ぎないようにして欲しいんだけど……」

けど？

その時、前菜が運ばれてきた。美しい色合いの野菜テリーヌだ。

「うまそうだなぁ。さあ、食べようか」

「はい」

ナイフとフォークを手にしたものの、南城編集長の続きの言葉が気になってならない。けど……の後に何が続くのだろう。

「専属になってから、奈央さんはとても綺麗になった。それは編集部でも認めるところなんだ。まさに『ヴァニティ』らしいモデルになってくれたってね」

「ありがとうございます」

そこで、南城編集長は少し口調を変えた。

「しかし、世の中の状況も変わってきた。『ヴァニティ』も、今までと同じというわけにはいかなくなる。モデルの入れ替えがいろいろあるのもその影響だ」

「はい……」

不安がたちまち戻ってくる。

「ちょっときつい言い方になるけれど、言わせてもらうよ。今の奈央さんも、このままでは読者の支持は得られなくなるだろう。手が届きそうで届かない、じゃなくて、すぐ届いてしまうところにいる。それじゃ読者に夢は与えられない。インパクトが足りない」

はっきり言われ、胃がきゅっと縮んで、急に食欲が失せてきた。

「もっと個性を出さなければ、周りのモデルの中に埋もれてしまう」

奈央は俯《うつむ》いたままだ。

「それでだ、ぜひともイメージチェンジをお願いしたいんだ」

「……………」

「やっぱり、まずは外見からだ。今のセミロングの巻き髪も幸せそうな主婦という感じで悪くはないけれど、平凡で個性がない。読者と同じじゃ駄目だ。読者が真似したくなるようでないとモデルとしての意味がない。トモさんと相談して、新しい奈央さんのヘアスタイルを作って欲しい」

奈央は頷いた。とにかくクビではないらしいことに安堵しつつも、緊張する。

「それから、何かひとつ、自分をアピールできるものを持ってもらいたい」

「アピールできるものですか？」

すぐに理解できず、奈央は尋ね返した。

「モデルがただ美しくあればいいという時代はもう終わった。これからは、生き方そのものに読者は共感するようになる。最近、モデルはさまざまなことを始めている。資格を取ったり、ヨガやマラソンに打ち込んだり、時には、ボランティア活動に励んだりってね。そういう、プラスアルファがこれから求められるようになる」

奈央はすっかり面食らっていた。そんなことを言われるなんて思ってもみなかった。そういう意味では、今まで自分にとっては、モデルであるということがプラスアルファだと思っていた。

「奈央さんに、そういうものはある？」

答えられなかった。

「ないなら、今からでも考えて欲しい」

目の前のお堀に、午後の日差しが降り注ぎ、波がきらきらと輝いている。

南城編集長の言葉は奈央の胸にずっしりと重く伝わっていた。

私にいったい何ができる？

胸の中で呟くと、途方に暮れた気持ちになって、奈央は水面に目をやった。

19

今日、奈央はトモさんとふたり、青山のヘアサロンにやって来た。トモさんが親しくしている店だ。

「あなたに似合いのヘアスタイル、考えたわよ」

トモさんが張り切った顔で、鏡の中の奈央と目を合わせた。南城編集長から言われた通り、イメージチェンジのためにヘアスタイルを変えるのだ。

「どんな？」

奈央は恐る恐る尋ねた。

「ウェーブボブ」

「それって……」

以前、『ビューティ・チャレンジ』のコーナーで、とんでもない髪型にされたことがある。ロンドン帰りの新進ヘアデザイナーということだったが、斬新過ぎるだけでなく、予想よりずっと短くされ、気にしている下ぶくれ気味の顔が強調されてしまった。やっと伸びた今、あんな髪型にされるのだけはごめんだ。

不安そうな奈央の表情に、トモさんは自信たっぷりに頷いた。

「今の『ヴァニティ』世代の主流は、ロングの巻き髪か、ボブってところよね。あなたも同じじゃ、全然個性がないし、目立たない」

「髪型はオーソドックスなのにして、カーラーで巻くとか結ぶとかアップとか、その時々で変化をつけるっていうのはどう？」

「作った髪型って、案外読者に喜ばれないの。みんな忙しいんだから、朝なんかちゃちゃっとスタイリングできるのがいちばん。私はそろそろパーマが復活すると思うのよ。ずいぶんストレート時代が続いたから、もう飽きてるはず。それに、あなたの顔って華やかさが足りないから、髪型でちょっと遊ぶくらいの方がいいのよ」

華やかさが足りない、と言われて、奈央は何も言えなくなる。確かに、ミーナさんのようなオーラもなければ、舞子のようなくっきりとした目鼻立ちもない。ましてや、新しくモデルとなったタレントや女優のような美貌も持ち合わせていない。そんな自分が『ヴァニティ』で生き残ってゆくには、やはりイメージを変えるしかないのだろう。

「いくわよ」

トモさんが鋏を手にした。もうやるしかない、という気持ちで奈央は頷いた。

二時間後、奈央は鏡の中で、新しい自分と向き合っていた。

少し長めのボブに、全体的にウェーブがかかっている。ウェーブにはところどころ強弱がついていて、パーマ特有のちりちりした感じはいっさいない。顔を左右に振ると、エア感たっぷりに揺れ、何だか表情も明るくなったように思う。

「どう、気に入った？」

「すごく。何だか、自分じゃないみたい」

ふふ、と、トモさんが満足げに笑った。

ヘアサロンを出て、ふたりで近くのカフェでお茶を飲んでいると、ファッションライターの里美がやって来た。ついさっき、携帯に連絡が入り、ここで待ち合わせたのだ。

「まあ、奈央さん、素敵」

里美は奈央の顔を見るなり言った。お世辞としても、嬉しい。

「この髪型だったら、ドレスアップからスポーツカジュアルまで撮影の幅が広がりそう。読者にもきっと受けるわ」

「でしょう、結構自信作なの。モデルはヘアスタイルを真似されるようになってこそ一人前、読者からどんな反響があるか楽しみ」

「早速、企画を考えなくちゃ。『昼は太陽と遊び、夜はライトと戯れる』なんて、どう？」

「いいんじゃない、メイクも凝るわよ」

里美とトモさんはふたりで盛り上がっている。

「あんまり期待しないでね」

奈央はコーヒーを口に運んだ。プレッシャーを掛けられるのは苦手だ。すごく頑張って臨んだ撮影でも、アンケートで下位止まり、などというのはしょっちゅうだ。

里美が呆れ声を出した。

「奈央さん、そんな弱気でどうするの。ミーナさん卒業後、『ヴァニティ』を背負ってゆかなくちゃいけない人が」

「背負うだなんて。私なんか頭数を揃えるだけのモデルだから」

里美は目を見開き、何度か瞬きした。

「やだ、奈央さん、知らないの？」

「え？」

奈央はカップを持つ手を止めた。

「奈央さんが、次の表紙モデル候補のひとりとして挙がってること」

叫んだのはトモさんだ。

「えっ、やだ、ほんとに？」

奈央も瞬きを繰り返した。

「まだオフレコだけど、編集部内で名前が挙がっているのは確か。だから、南城編集長も奈央さんにイメージチェンジをお願いしたんじゃないの。私、てっきり知ってるとばかり思ってた」

「ぜんぜん……。でも、本当に私が？」

「他にも数人、候補がいるようよ。いちばん有力なのは舞子さんだけど、ほら、彼女、いろいろ問題もあるから」

「ああ、ショップとの繋がりとかね」

「大沢レイ子とか野中真奈美とか、外部モデルも何人かいるみたい」

トモさんが、肘で奈央を突っついた。

「ちょっとぉ、その中の候補なんてすごいじゃん」

「そうよね……」

とは言え、まったく実感は湧かない。何より噂ばかりが先行するこの世界である。妙に浮き足立って、後で肩透かしをくらいたくないという思いもある。

「ねえ、奈央さん」里美が不意に真顔になった。

「この際、少し、顔をお直ししない？」

奈央は思わず顔を向けた。

「私ね、前から気になってたの。ほら、右のこめかみのところに小さなシミがあるでしょう。それ、取った方がいいと思うのよ。ねえ、メイクアップアーティストの立場として、トモさんはどう思う？」

「もちろん取った方がいいに決まってる」

トモさんはあっさり言った。シミのことは奈央もわかっていた。智樹がまだ小さい頃、公園でつい油断して日焼けしてしまったのが原因だ。あれから根気よく美白美容液を塗って、ある程度は薄くなったが、今も消えずに残っている。

「取るって？」

「今はレーザー治療ですぐよ。ついでに目尻のシワと法令線も、今のうちにヒアルロン酸を打ってもらうといいんじゃないかしら。いい美容クリニックを知ってるから紹介する」

奈央がどう答えていいか戸惑っていると、トモさんが笑い出した。

「やだ、ビビってるの？」

「だって……」

いくら流行のプチ整形で、メスを入れるわけではないとわかっていても、やはり抵抗はある。

「それくらい『ヴァニティ』のモデルはみんなやってる。ライターの人たちだって経験済みよ」

「里美さんも？」

「もちろん。舞子さんだって、ミーナさんだってしてる」

「そうなの」

奈央は驚きの声を上げた。舞子はわかるが、ミーナさんはあるがままの自分を見せているという気がしていた。モデルになったら、それくらいは当たり前のことなのだろうか。

「気が進まない？」

「何もそこまでしなくてもって気もするんだけど」

「でも、そのシミ、いつもコンシーラーで隠してるのよね。家ではお高い美白化粧品も使ってるんでしょう」

「ええ、まあ」

「そうやってシミを消すのと、レーザーで消すのと、いったいどんな差があるのかしら。レーザーやヒアルロン酸は、もう画期的な化粧品のひとつと同じよ」

里美やトモさんの言葉に、確かにそうだという思いもある。普通の主婦もＯＬも、最近では母の年代の女性も、プチ整形と呼ばれるものを気安く取り入れている。自分は時代遅れなのかもしれない。プロのモデルになった以上、美しくなるための努力を惜しんではいけない。

頭ではわかっていながら、それでも奈央は、すぐに首を縦に振ることができずにいた。

その夜、ベッドで本を読んでいる伸行に、「ねえ」と奈央は顔を近づけた。

「何だよ」

伸行が困ったように本を胸に置いた。

「私のこのシミ、目立つ？」

「どのシミ？」

「ほら、こめかみのところにある」

「ああ、それ。ぜんぜん、言われるまで気がつかなかった」

「じゃあ、目尻のシワは？」

「笑いジワなんて、誰でもあるだろ」

「法令線はどう？」

「ほうれい……？　何だ、それ」

「この口の両脇のシワ」

「別にいいんじゃないの。シワなんて歳相応にあって当然なんだから」

「そうよね」

人として、歳を取るのは少しも恥ずかしいことではない。むしろ人生の勲章として、シミもシワも胸を張って受け入れる方が潔く思える。少なくとも、若く見せようと躍起になっている女性より共感を覚える。そんなことを考えるより前に、南城編集長から言われたプラスアルファの方がずっと重要課題に感じる。

でも、こうも思うのだ。自分はもうプロのモデルだ。モデルは見られる仕事である。人としての魅力を持つことも大切だが、それも、美しさというベースがあってこその価値、という気がする。

里美やトモさんが言うように、メスを入れる美容整形ではないのだから、もっと気楽に受け入れてもいいのかもしれない。でも、それで済むだろうか。

そこに考えが辿り着いて、自分を躊躇《ちゅうちょ》させているものの姿が、奈央は少し見えた気がした。

今あるシミやシワを取ることで満足できればいい。けれど、これからだって出てくるだろう。それを片っ端から消してゆかなければならない。いつか、目をもう少し大きく、鼻を高く、顎を削って、唇を膨らませて、フェイスリフトも……と、どんどんエスカレートしてゆくことにならないだろうか。

すでに寝息をたてている伸行に、奈央は顔を向けた。

伸行と結婚して、智樹を産んで、中古のマンションを手に入れて、平凡だけど幸せな家庭で満足して暮らしていた自分が、何だかずいぶんと遠くに来てしまったような気がした。

それから数日して、撮影があった。特集ページの、『主婦こそ必要、ONの私とOFFの私』である。特集を奈央ひとりで受け持つのは初めてだ。

自宅を出て、エントランスに出たとたん、マンションの自治会長に捕まった。お喋り好きな自治会長は長々と世間話を始めた。時間が迫っていて焦る気持ちはあるのだが、話の腰を折るのも気が引ける。はい、とか、ええ、とか適当に相槌を打ちながら、十五分ほども立ち話に付き合わされた。慌ててスタジオに向かったが、結局、五分ほどの遅刻となった。

「遅れてごめんなさい」

メイク室に飛び込んで、奈央はトモさんに謝った。

「待ってたわよ、早く座って」

その時、隣の鏡の前に舞子が座っているのに気がついた。

「あ、おはようございます」

奈央は丁寧に頭を下げた。舞子を前にするとやはり緊張する。

「いちばん最後にご登場とは、いいご身分よね」

ちくりと嫌味を言われる。

「すみません」

奈央は答える。トモさんが肩にタオルを掛け、早速メイクを開始した。

「特集の撮影なんですって？」

舞子の問い掛けに、奈央は頷いた。

「はい」

「こんな新人に特集を任せるなんて、編集部は何を考えているのかしら」

奈央は黙る。舞子の皮肉や嫌味にも大分慣れてきた。聞き流しておくに越したことはない。

反応しない奈央を煽るように、舞子は更に続けた。

「それにしても、あなたって、見かけによらずしたたかよね。その程度の容貌とスタイルで、南城編集長に取り入って専属モデルに納まり、ミーナさんに媚びてちゃっかりふたりのページを持って、ここまでのし上がってきたんだもの」

そこまで言われると、さすがに黙っていられなくなった。

「別に、私は取り入っても媚びてもいません」

「じゃあ実力だって言うの」

「確かに幸運はあったと思います。でも、私なりに努力もしています」

「努力ですって?」舞子の口調にますます棘《とげ》が混ざった。

「努力なんて、当たり前じゃない。プロだったらみんな努力してる。やすやすとそんな言葉を口にするっていうのが、ド素人の証拠なのよ。噂によると、あなたも表紙モデルの候補に挙がってるそうだけど、そんなの、私からすれば百年早いのよ」

舞子を担当しているメイク係が、慌てて話題を変えた。

「舞子さん、今日のお肌はいつもに増してつるつるですね。エステに行かれました?」

「撮影の前の日はエステで肌を磨くのはプロのたしなみだもの。信じられないのは、シミもシワもそのままにしておくモデルがいること。まして、それをメイクの人にカバーさせて平気でいること。よく、そんな恥ずかしいことができるもんだわ」

身体が熱い。怒りが喉元まで込み上げている。どうしてこんなことを言われなくてはならないのか。そんなに私が嫌いなのか。言い返そうとすると、トモさんが耳元で囁いた。

「気にしないの」

鏡の中で目を合わせた。言い返せば、トモさんにも迷惑がかかるかもしれない。言葉を飲み込む。我慢する。しかし、そんな奈央の態度は、却って、舞子を刺激したようだった。

「わかってるの、あなたのことを言ってるのよ。何とかしなさいよ、その顔。そんな顔で『ヴァニティ』のモデルなんて大きな顔をされたら、他の専属モデルの恥になるのよ」

ついに、怒りが爆発した。奈央は思わず椅子から立ち上がった。

「わかりました。舞子さんは今、喧嘩を売ったんですね。私も端くれとは言え、プロのモデルです。売られた喧嘩は買います。あなたには負けません。いつか、あなたより人気を取ってみせますから」

トモさんは鏡の中で口をぱくぱくさせている。ふん、と、舞子は鼻を鳴らして顔をそむけた。

「やれるものなら、やってみれば」

奈央はその時、強く決心した。

今、自分が口にした言葉を必ずかなえてみせる。

20

翌週、奈央は里美に紹介された美容クリニックに向かった。

緊張してドアを開けたが、そこはエステティックサロンと何の変わりもなく、看護師の応対といい雰囲気といい、拍子抜けするくらいリラックスできるものだった。ドクターも奈央より少し年上の女性というだけで、威圧感はまったくない。

こめかみにあったシミには、レーザーを照射し、目尻と法令線にはヒアルロン酸を注射した。痛みはないわけではないが、十分に我慢できる程度のもので、時間も三十分もかからずに終了した。費用は十万円ばかり。安いというわけではないが、高級化粧品のシリーズを揃えるくらいの値段だと思えば、納得できる。

施術が終わって鏡を覗き込むと、シミのあった場所は赤みが差し、ヒアルロン酸を注入したシワのところは少し膨らんでいた。

「心配ありませんよ、シミは一週間ほどで消えますし、シワのあったところの膨らみも、明日には落ち着いていますから」

今は、ドクターの言葉を信用するしかない。

「他にも何か気になるところがありましたら、いつでも気楽にいらしてくださいね」

にこやかにドクターは言った。


翌朝、鏡を見ると、確かにシワはすっかり消えていた。シミのあった場所はまだ少し赤みが残っていたが、コンシーラーで隠せる程度のものだ。

起きてきた伸行に「ねえねえ、ここ、きれいになったでしょ」と言ったが、何のことかさっぱりわからない様子で首を傾げている。

「ほら、ここにあったシワ、消えたの」

「あっそ」と、伸行はまったく興味なさそうにトイレに入っていった。

シミもシワも、さほど気に留めるものではなかったのかもしれない。普通の主婦でいれば、美容クリニックに行くなど考えもしなかったろう。けれど今、自分はプロのモデルである。プロは、美しくなるための努力を怠ってはいけない。あの時、舞子に言われた言葉は腹立たしいものばかりだったが、あれはあれで真実なのだとわかる。美しくあること、そのために最善の努力をすること、それがプロとしての務めなのだ。

それにしても、小さなシミとシワが消えたというだけで、不思議なくらい、気持ちは浮き立っていた。これと言って用事もないのに、奈央はドレッサーの前に座り、念入りに化粧をした。すると、どこかに出掛けたくなってきた。

「久しぶりに銀座でお買い物でもしようか」

思いついて、奈央はいそいそと仕度を整えた。

特別欲しいものがあるわけではなかったが、デパートの服や靴の売り場を見て回った。そのまま、宝飾フロアにまで足を延ばすと、ふと、ショーケースに目が留まった。真珠のネックレスが並んでいた。

素敵、と、呟きながら奈央は見入った。

今、奈央が持っている真珠のネックレスは、祖母から譲られたものだ。もう、ずいぶん古いし、奈央にはちょっと長めで使いづらい。この際、新しいものに買い換えてもいいかもしれない。ギャラも入ってきているし、無理をすれば買えないこともない。

「いらっしゃいませ」

店員が笑顔で近づいて来た。

「当店の真珠は最高品質のものを厳選しております。よろしかったら、お出しいたしましょうか」

「あ、いえ、また今度にします」

奈央は首を振り、その場から離れた。気持ちは動いていたが、それだけの値段のものを買うとなれば、伸行にも相談しなければならない。

そのままエスカレーターに向かって歩いて行くと、声を掛けられた。

「あの……」

最近、奈央の顔もずいぶんと知られるようになり、時々、こんなふうに声を掛けられる。奈央は背筋を伸ばし『ヴァニティ』のモデルとしての笑顔を作って振り向いた。

「はい、何でしょう」

「やっぱり、奈央ちゃん」

一瞬、面食らったものの、遠い記憶から蘇ってくる顔があった。

「やだ、万理子《まりこ》ちゃんじゃない」

奈央は声を上げた。子供の頃、近所に住んでいた幼馴染みだった。

「久しぶりねえ、元気にしてた？」

「うん、おかげさまで。いつも『ヴァニティ』、読んでるよ。すごいねぇ、モデルだなんて。奈央ちゃんは小さい時から可愛かったもんね」

「やだ、よしてよ」

立ち話もなんだから、ということで、ふたりでフロアの一角にあるティールームに入り、紅茶を飲みながら、しばらく昔話に華を咲かせた。万理子は社内結婚をして、ふたりの子供を持ち、今は専業主婦をしているとのことだった。昔からどこかおっとりしていた万理子は、今も少しも変わらず、話していると子供の頃に返ったような気分になった。

ふと、奈央は万理子のバッグに目をやった。焦げ茶色の上質の革で、作りも凝っている。よく見ると、タッセルに『G』のロゴが付いていた。

「あ、そのバッグ、『G』なのね。私もそうなのよ」

里美に連れられて行ったプレスルームで、半額以下で手に入れた最新モデルのバッグだ。

「あら、ほんと」

「そういう形って見たことないけど、いつのシーズンのもの？」

「これは母から貰ったの」

「え……」

奈央は思わずバッグを見直した。

「母がね、父と新婚旅行でヨーロッパに出掛けた時、ちょっと無理して買ったバッグなんですって。だから、今から四十年くらい前のもの」

「へえ、ぜんぜん時代を感じさせない」

「私も気に入ってるの。大切に使って、いずれ娘が大きくなったら譲ってあげるつもり」

「そう」

その時、どういうわけか、奈央は心に石を放り込まれたような気持ちになった。

あれから、ずっと考えている。

万理子が持っていた母から譲られたバッグの前で、自分の最新型のバッグがかすんで見えたのは何故だろう。そこには、高級ブランドという価値だけでは測れない何かがあった。

奈央はチェストの奥から、久しぶりに真珠のネックレスを出してきた。祖母から譲られたこの真珠は、二、三度使って、そのまま引き出しにしまったままだった。長めで使いづらいというなら、珠をはずして調整すればいいだけなのに、どうして新しいものを買おうなんて考えたのだろうという気になった。

モデルという仕事柄、目の前には次から次と最新のものが差し出される。バッグもフアッションも靴もアクセサリーも宝石も、何もかも流行の最先端だ。奈央のクローゼットの中にも、いつの間にか新しいものがずいぶんと増えていた。

新しいものを欲しいと思う気持ちを否定するつもりはない。実際、そういうものを手にすると気持ちが弾むし、エネルギーを与えてくれる。けれども、古いもの、受け継がれてきたものも十分に魅力的だ。新しいものと違って、心を落ち着かせてくれる。

奈央は真珠を手にしたまま、すでに亡くなった祖母のことを思い返した。戦争で何もかも失った祖母と祖父は苦労して小さな工務店を始めた。経済的にも大変だっただろうが、その中で、祖母は本当にいいものをこつこつと買い集め、それを娘である母に譲ったのだ。この真珠にも、祖母の歴史が沁み込んでいる。

読者モデルの面接試験の時、スカーフ留めに珊瑚のブローチを使った。あれも祖母のものだった。あの時、南城編集長に奈央はこう言ったはずだ。

「新しいものばかりでなく、よいものを長く使い続けてゆく、こだわりがあるとすれば、そういうことでしょうか……」

そんな大切なことをどうして忘れてしまっていたのか。

奈央はぼんやりと宙を眺めた。

何かが少し、見えたような気がした。

それから数日後、奈央は南城編集長と、ティールームで向かい合っていた。

「お忙しいのに、お呼びたてして申し訳ありません」

奈央が頭を下げると、南城編集長はいつもの穏やかな笑顔を浮かべた。

「いや、ちっとも構いません。僕もちょっとお会いしたかったんだ」

奈央はコーヒーカップを持つ手を止めた。

「髪型を変えて、とてもよくなった。スタイリストもカメラマンも褒めていましたよ。今までより着る服のキャパが広がったし、表情も明るくなった。読者の反応もとてもいい」

思わず笑みがこぼれた。

「トモさんがいろいろ考えてくれたおかげです。何より、南城編集長にアドバイスしてもらわなかったら、変えようなんて思いもしませんでした」

「僕は言うだけだからね」

「でも、的を射てます」

「うーん、はずれもあるよ。やっぱりトモさんのおかげだな」

苦笑しながら、南城編集長はコーヒーを口にした。

「それで、話って？」

問われて、奈央は居住まいを正した。

「前に、南城編集長に言われたことをずっと考えていました。モデルという立場の他にプラスアルファになるものを身に付けなさいというお話です」

「ああ、あれね。それで見つかったのかな」

心なしか、南城編集長の目に厳しさが浮かぶ。

「まだ、はっきりではありません。ただ、新しいものばかりでなく古いものも大切にしてゆきたいと思うようになりました」

「それは具体的にはどういうことだろう」

「覚えていらっしゃらないと思うんですけど、面接の時、私、珊瑚のブローチをスカーフ留めに使っていたんです」

南城編集長は少し考え、やがて大きく頷いた。

「ああ、覚えているよ。確か、お祖母《ばあ》さんから受け継いだものだとか」

「そうです。私、何だか大切なことを忘れていたような気がするんです。今の世の中はモノが溢れていて、お金さえ出せば何でも手に入ります。でも、古くてもいいものはいっぱい残っている。だったら、それを使わない法はないって」

南城編集長は興味深げな目を向けた。

「私、新しい真珠のネックレスを買おうとしてたんです。でも、祖母から貰った真珠のことを思い出して、お直しに出しました。リフォームに少しお金が掛かりましたけれど、私にぴったりのネックレスになりました。その時つくづく思いました、ああ、新しいのを買わなくてよかったって」

「なるほど」

「祖母から母へ、母から娘へ、そして孫へって、受け継いでゆくってとても素敵なことだし、大きな意味があるように思うんです。私に娘はいませんけれど、いつか、息子のお嫁さんになる人にそれを譲ることができたらって。そのことを想像しただけで嬉しくなってきます」

南城編集長は黙って聞いている。

「着物や服、家具や食器も同じだと思うんです。でも、受け継ぐには手入れが大切だし、保管方法もあるだろうし、リフォームだって必要です。今回の真珠のネックレスのことも、私、何にも知らなくて、調べて初めてわかりました。真珠は炭酸カルシウムが多く含まれていて、酸に弱いということ。だから果物や酢の物を食べる時は気をつけなくちゃいけないし、人間の身体は弱酸性だから付けるたびにきちんと拭いておかなくちゃいけない。そういうことを、私、勉強してみたいなと思ったんです。何から何までいっぺんにやるのは無理ですけれど、とにかく、少しずつ始めてみようかなって」

「いいんじゃないかな」

その言葉に、奈央は改めて顔を向けた。

「今の時代にも合っている。〝もったいない〟やエコと根底で繋がっているわけだからね。それはたぶん、ライフワークになると思うよ。頑張って欲しいな」

「はい」

奈央は思わず弾んだ声を上げた。

「レガシエ……」

南城編集長が呟いた。

「え?」

「『Legacy』というのは遺産という意味だ。遺産なんて言葉を使うと大げさかもしれないけれど、たとえ他人からすれば価値のないものでも、自分には最高の宝物であったりする。お金の問題じゃない。ある意味、心の在り方だ。遺産を大切に受け継ごうとする人、そういう人をレガシエって呼んでもいいんじゃないかな」

ここのところ、モデルやカメラマンやライターやヘアメイクやスタイリストや、とにかく何人かが集まると盛り上がる話題がある。

もちろん、次の表紙モデルに誰がなるかだ。

いちばん有力なのは舞子だが、他にも何人かの候補がある。自分もその中のひとりだなんて夢のようだ。それだけで十分、と言いたいところだが、心のどこかで「もしかしたら」と想像する自分もいる。

そして、いよいよ決定会議の日を迎えた。

その日、奈央は家にいて、リビングの中をうろうろしていた。

誰に決まるか。決まったらすぐに連絡を入れると、里美に言われていた。だいたい三時頃には決まると聞いていたのに、もう三時半になろうとしている。それだけ会議が紛糾しているということだろうか。

読者モデルの合否の時も、こうして胸の高鳴りを抑えながら連絡を待っていたのを思い出した。でも、あの時と今はやはり違う。あの時は、宝くじに当たるような思いで、先のことなど何も考えてなかったし、ただ読者モデルにさえなれればいいという気持ちだった。でも今は、あの時にはなかったものがある。それは野心だ。プロとして、自分がどこまでやれるか、試してみたいという気持ちがふつふつと湧き出している。

いつの間に、こんなもくろみを身に付けるようになったのだろう。プロは常に前へ進まなければならない、ということを学んだということだろうか。

携帯電話が鳴り出した。画面に里美の名前を確認して、奈央は電話を手にした。

「ああ、奈央さん」

はい、と答えて、ゆっくり息を吐く。

「残念だけど、奈央さんじゃなかった」

ふっと、身体から力が抜けた。

「そう」

「期待してたのに、ほんと残念」

「それで誰になったの？　舞子さん？」

「ううん、候補に挙がっていることさえ知らなかったんだけど、人気の歌舞伎役者の奥さん。結婚前は女優をしてたらしい。それにしても、ものすごいサプライズよね」

それは、奈央も同じ気持ちだった。

21

今日は、ミーナさんの最後の撮影である。

スタジオには、編集者やスタイリスト、ファッションライター、ヘアメイク、モデルたちと、たくさんの関係者が集まっていた。

『ヴァニティ』におけるミーナさんの功績は大きい。ここまで売上げを伸ばせたのは、編集者の努力と苦労はもちろんだが、やはりミーナさんの人気あってこそだ。それは誰もが知るところである。

見物人の多さに、ミーナさんが少し照れたように、カメラに向かってポーズを取っている。思わず見入ってしまう。やはりミーナさんには、人をホッとさせるような独特の雰囲気がある。

奈央は撮影を眺めながら、さまざまなことを思い出していた。

ミーナさんに初めて会った時のこと。自宅に招待され服やアクセサリーを貰ったこと。一緒にページを持てたこと。今思えば、カリスマモデルのミーナさんにこんなによくしてもらえたなんて、幸運としか言いようがない。もし、ミーナさんがいなかったら、モデルを続けていられなかったかもしれないとさえ思う。

そのミーナさんが今日でいなくなる。それを考えると、胸の中に熱いものが広がった。

「はい、撮影終了です」

カメラマンが告げると、いっせいに拍手が沸き起こった。

表紙モデルを受け継ぐ御木本由香《みきもとゆか》が前に進み、大きな花束をミーナさんに手渡した。

「長い間、お疲れ様でした」

「どうもありがとう。由香さん、これから『ヴァニティ』をよろしくね」

「まだまだ力不足ですけれど、精一杯頑張ります」

その後、編集部主催でお別れパーティが企画されていたらしいのだが、ミーナさんは断ったという。「さりげなく消えたいから」というのが理由だそうだ。

ミーナさんらしい、と奈央は思う。ミーナさんにはそんな潔さがある。これも噂で聞いたのだが、もうモデルはやらないそうだ。あちこちの雑誌から声が掛かったらしいが、すべて断ったという。

「じゃあ、みなさん、長い間、お世話になりました。新生『ヴァニティ』を楽しみにしています。どうぞ、お元気で」

ミーナさんが笑顔を浮かべながら、最後の挨拶を終え、集まった人たちの間を通り抜けてゆく。中には泣いているスタッフもいた。奈央も涙ぐんでいた。

ふと顔を上げると、南城編集長の姿が目に入った。ミーナさんを見つめる目はとても静かだった。しかしミーナさんは、最後まで南城編集長と視線を合わそうとはしなかった。それがミーナさんなりの「さよなら」の証なのだと、奈央には思えた。

いよいよ、新しい『ヴァニティ』がスタートした。

表紙モデルとなった御木本由香は三十五歳。品のいい顔立ちと、日本舞踊で鍛えたというしなやかなプロポーションの持ち主だ。

驚いたことに、この話題はテレビのワイドショーでも取り上げられた。結婚を機に女優を引退してから十年ぶりの復帰である。その上、夫は有名歌舞伎俳優である。やはり注目度は高いらしい。編集部の期待も大きかったはずである。

ところが、表紙が変わった最初の号、売上げはがくんと落ちた。

「でも、これは予想の範囲だって、南城編集長は言ってるのよね」

奈央の髪をブローしながら、トモさんが言った。今日は『すべての服はシルエットが命』の撮影である。

「まあ、創刊以来『ヴァニティ』の顔はずっとミーナさんだったんだもの、読者が戸惑うのも仕方ないわよね。私だって、由香さんが表紙になってるのを見て、えっ、これどこの雑誌？　って思ったもの。馴染むまで、少し時間がかかるかも」

「そうよね」

確かに、奈央もリニューアル一号目を手にした時、何だか知らない雑誌のような気がした。

「その分、専属モデルに頑張ってもらわないと。そうそう、舞子さん、新しい連載を持つことになったんだって」

「どんな？」

思わず奈央は身を乗り出した。

「いろんな業界で活躍してる人をゲストに招いての対談とか。まあ、舞子さんは人馴れしてるし、喋りも上手いしね」

舞子と争った時のことが思い出される。「あなたには負けない」と、タンカを切ったが、まだまだ及びそうもない。

「それで、勉強の方は進んでる？」

鏡の中で、奈央は改めてトモさんと目を合わせた。

「うん、いちおう」

「レガシエだっけ？」

「そう」

「ま、頑張んなさいよ」

自己流だが、あれからいろいろと本を読んだり、インターネットで調べている。今は、象牙やべっ甲に興味が向いている。それらは絶滅の危機に瀕している動物によってもたらされるもので、自然環境保護の観点からいっても、もう捕獲は許されない。となれば、手元にあるものを大切に保管し、後世に受け継いでゆくしかない。象牙の黄ばみの取り方、べっ甲の手入れの仕方、調べれば調べるほど奥が深い。

いつか、自分のページが持てるようになったら、そんなことを書いてみたい。今はそれが夢のひとつになっている。

二号目も、売れ行きは今ひとつだった。

三号目になっても苦戦は続いた。

そうなると、撮影をしていても、現場の雰囲気はどことなく重い。顔を出したデスクの洵子の表情も沈みがちだった。

「ここだけの話、表紙モデル、由香さんでよかったのかって、会議でも出てるんですよね」

撮影の合間、隅のテーブルでコーヒーを飲みながら、洵子が呟いた。いつも淡々としている洵子がこんなことを言い出すのは珍しい。どう答えていいのかわからず、奈央は黙って聞くしかない。

「やっぱり専属モデルの中から選んだ方が『ヴァニティ』にしっくり馴染んだんじゃないかって意見もあるんです。実際、上層部からはそうするよう指示も出てたんですけど、変化がなければ取り残されてゆくだけだって、南城編集長が由香さんを強く推したんですよ。由香さんが悪いってわけじゃないけど、こうも数字が伸びないと、南城編集長の立場も悪くなるばかりだし――それに」

と、洵子は口調をため息に変えた。

「実は、モデルの何人かが辞めることになって……。専属モデルじゃないから何も言えないし、他誌に引き抜かれてもしょうがないんだけど、何もこういう時に抜けることないのにって、つい愚痴のひとつも言いたくなっちゃって」

「役に立つかわからないけど、私に何かできることがあったら何でも言ってくださいね」

奈央が言うと、洵子は困ったように笑った。

「ごめんなさい、奈央さんにこんな泣きごと言って。編集者として失格ですね」

そこでカメラマンから呼ばれ、話は終わったが、奈央の中にも晴れない気持ちが残った。というのも、南城編集長の立場が悪くなっているという話は、周りからも聞かされていたからだ。『ヴァニティ』を創刊し、ミーナさんを起用し、アラフォー世代対象の女性誌の中で売上げトップの座にまで押し上げたのは南城編集長の手腕によるものである。

しかし、この業界は厳しい。たとえ過去にどんな素晴らしい実績があったとしても、求められるのはいつも「今」の数字である。

でも、絶対に大丈夫。

奈央は信じている。南城編集長がいる限り『ヴァニティ』は女性たちに愛され続けるに決まっている。

それからしばらくして、ライターの里美からランチの誘いがあった。

里美もたぶん、今の『ヴァニティ』の状況にいろいろ思うところがあるのだろう。翌日、代官山のカフェで会う約束をした。

顔を合わすのは久しぶりだった。以前は、ミーナさんとのコラボ企画で一緒のページを持っていたし、打ち合わせがてらにお茶をする機会も多かったが、ミーナさんの卒業と同時に連載も終了した。

ふたりとも、プレートに載ったいかにもカフェらしいランチを注文し、どことなく弾まない会話を交わした。ランチを終えて、コーヒーが運ばれてきたところで、里美は不意に改まった顔をした。

「実はね、今日誘ったのは、奈央さんに話しておきたいことがあったからなの」

カップを手にして、奈央は目を向けた。

「話?」

「そう、驚くかもしれない」

「なに?」

「あのね、私『ヴァニティ』を辞めることにした」

えっ、と、奈央は思わず声を上げた。

「辞めるって、どうして」

「『ヴァニティ』は好きだし、編集部にも恩を感じてるのよ。前にいた女性誌が休刊になった時、うちでやらないかって声を掛けてくれたんだもの。でも、私はフリーランスでしょう。チャンスがあれば、次のステージに進みたいし、キャリアアップして新しいことにもチャレンジしてみたい。でも、今の『ヴァニティ』ではそれがちょっと難しい状況なの」

「他の女性誌に行くの？」

里美は頷く。

「どこの女性誌？　あ、いけないのかな、こういうこと聞いちゃ」

里美はゆっくりとカップを口に運んだ。

「既存の女性誌じゃないの」

「どういうこと？」

「半年後にＫ出版が女性誌を創刊するの、誘われたのは、そこ」

「へえ……」

出版業界にさほど詳しいわけではないが、Ｋ出版が業界でトップクラスに位置していることぐらいは知っている。

「『ジョワイユ』って女性誌よ。フランス語で楽しいって意味。でも、このことは内緒にしておいて。まだ公開する段階じゃないから」

奈央は頷く。

「わかった、誰にも言わない」

「でね、その『ジョワイユ』は、四十代前後の主婦を対象にしてて、まるまる『ヴァニティ』とかぶるのよ。だから、どうしようかって本当に悩んだの」

黙って聞いてはいるが、内心、それはあまりにも仁義に欠けるのではないかと思ってしまう。

「でもね、『ヴァニティ』、最近、元気がないじゃない。表紙が変わるって、やっぱり大きいのよね。由香さんをどうのこうの言うつもりはないの。とても素敵な人だってことはわかってる。でも、やっぱり違うのよ。今までの『ヴァニティ』じゃないの。最近、会議に企画を提出しても、呆気なくはねられたりするのね。私はもう必要ないのかもしれないって気にもなるじゃない。それに、由香さんの後ろに歌舞伎界の力みたいなものが見えるの。実際、由香さんサイドから何人かのライターが入って来て、巻頭ページはそういう人たちに任せられるようになったの。そんなこともあって、何となく居心地が悪くなっちゃって。だから、『ジョワイユ』から声を掛けられて、心が動いたのね」

そう、としか奈央は答えられない。

「声を掛けてくれた人が、すごく信頼できる人だったってことも大きかったけれど」

里美にとやかく言うつもりはなかった。立場も違えば、仕事内容も違う。何より、聡明な里美のことだ、考えに考えた末の結論なのだろう。せっかく知り合って、こうして親しくなったのに、もう一緒に仕事ができないのは寂しいが、自分のそんな思いのために引き止めることもできない。

「最近、モデルが何人か辞めたでしょう。奈央さんは知らないと思うけど、カメラマンとスタイリストとヘアメイクも、数人、『ジョワイユ』に移ることになってる」

さすがに身を乗り出した。

「そんなに引き抜きが？　まさか、トモさんも？」

「声は掛かっているんじゃないかしら」

トモさんまでいなくなったら、あまりにも心細い。

「ねえ、奈央さん」

里美の口調が再び変わった。

「それでね、ちょっと相談があるの」

「なに？」

「専属モデルの契約、どうなってる？」

奈央は何度か瞬きした。

「どうって……」

「他の専属モデルと同様、たぶん一年契約だと思うのね。そうすると、そろそろ更新の時期じゃないかしら」

考えてみれば、そうかもしれない。読者モデルから専属モデルになって、そろそろ一年だ。でも、里美はどうしてそんなことを言い出すのだろう。

「思い切って言う。奈央さんも『ジョワイユ』に移る気はない？」

「えっ」

驚きのあまり、次の言葉が出なかった。

「こんなこと急に言われてもびっくりするだけよね。でも、悪い話じゃないと思うのよ。今の『ヴァニティ』じゃ、奈央さんはいつまでたっても三番手、四番手の扱いしか受けることはできない。どこの女性誌でもそうだけど、読者モデル上がりっていうのは、何となく軽く扱われるものなのよ。でも、別の女性誌に移れば、そこでは最初からプロのモデルとして扱われる。表紙を飾ることだって、そう難しいことじゃないはず」

奈央はただ、目を丸くして聞くばかりだ。

「返事はすぐでなくていいの。よく考えて結論を出して欲しい。それでね、突然なんだけど、今日『ジョワイユ』のエグゼクティブ・エディターがここに来ることになっているの。ちょっと会ってもらえないかな」

奈央はすっかり慌てていた。

「そんなこと言われても、私、心の準備もないし」

「構える必要はないの、気楽に会ってくれればいいだけ。そのエグゼクティブ・エディターっていう人は、出版社から依頼された外部スタッフなんだけど、実質的にはその人が『ジョワイユ』の責任者。いわば、陰の編集長ってところかな」

「だったら、なおさら」

不意に、里美が含み笑いをした。

「ふふ、会ったらきっと、奈央さん驚くわよ」

それからカフェの入口に顔を向けた。

「あ、来たわ。ここです、ここ」

つられて奈央も視線を向けた。表通りから陽が差し込み、シルエットだけが浮かんでいる。身体のラインが美しい女性だった。ただ逆光で顔がよく見えず、奈央は目を細めた。

その人が近づいて来て、やがて奈央の前に立った。

その瞬間、息が止まりそうになった。

「奈央さん、お久しぶり」

そこに立っているのはミーナさんだった。

22

奈央は慌てて椅子から立ち上がった。

「そんなに緊張しないで。どうぞ、座って」

「はい、失礼します」

テーブルを挟んでミーナさんと向き合った。

まさか、ミーナさんが現れるとは想像もしていなかったので、まだ心臓が波打っている。

「ミーナさん……」

ミーナさんは相変わらず美しかった。けれども、よく見ると、雰囲気はずいぶんと変わっていた。『ヴァニティ』にいた頃の、人をほっとさせるような感じではなく、きりりとした鋭さが備わっている。

「驚いたでしょう？」

ミーナさんがほほ笑み、奈央は困惑しながら頷いた。

「話は里美さんから聞いたと思うけれど、そうなの、私『ジョワイユ』という新雑誌に関わることになったの」

「はい」

「迷ったし、悩みもしたのよ。だって『ヴァニティ』とライバルになるんだもの。でも、私はやっぱり女性誌が好きなのね。そのこと、『ヴァニティ』を辞めて実感したの。だからって、モデルとして活動するつもりはなかった。もう、やるだけのことはやったし、燃え尽きたっていう気持ちだったから。そうしたら、エディターとしての誘いでしょう。驚いたけど、すごく嬉しくもあった。だって、私のモデル以外のところを認めてくれたってことだもの。それに、エディターなら今まで培ってきたものを、今度は違う立場から発信できると思ったの」

辞める前、ミーナさんは編集会議に出席するようになっていた。もしかしたら、勉強のつもりだったのだろうか。あの頃から『ジョワイユ』に移ることが頭にあったのだろうか。

「『ヴァニティ』からしたら、裏切りとしか映らないだろうけれど、それでも私は、『ジョワイユ』で人生をやり直そうと決心したの」

人生をやり直す、その言葉に引っ掛かり、奈央は改めてミーナさんに目を向けた。

「いろいろ考えたんだけど、私ね、ひとりに戻ったの」

「もしかして……」

そう、と、ミーナさんはゆっくり頷いた。

「息子の留学を機に、離婚したの」

離婚という二文字が、重く胸に突き刺さる。

「モデルでいる限り、決心はつかなかったと思う。私のイメージは、どうしたって幸せな家庭の奥さんだもの、読者の方々を裏切れないって思いもあったの。でも、逆にそんな自分でいることに疲れてもいたのよ。今は、ありのままの私でいいんだって、肩から力が抜けた感じ」

ミーナさんの日々には、ファンにも、『ヴァニティ』のスタッフたちにも、そして南城編集長にも、及びもつかないさまざまな出来事があったのだろう。

奈央の脳裏に、一度だけ見掛けたことがあるミーナさんのご主人の姿が浮かんだ。かつてはベストセラー作家として名を馳せていたが、印象はずいぶんと荒んだものだった。

「それでね、奈央さん」

と、ミーナさんが居住まいを正した。

「どうかしら、『ジョワイユ』に移籍する気持ちはない？　もし引き受けてくれるなら、奈央さんにふさわしいページを用意するつもりよ」

奈央は膝に視線を落とした。

「私ね、奈央さんは読者に愛されるモデルだと思ってる。華やかさはないかもしれないけど。あら、気を悪くしないでね、いい意味で言ってるの。でも、奈央さんはそれだからいいの。モデルというのは、みんな同じじゃ誌面がつまらない。いろんなタイプのモデルがいてこそ華やぐの。何だか、最近の『ヴァニティ』は、そこがわかっていないんじゃないかしら。読者から共感を得られないような誌面になってる。売上げも苦戦しているようね」

奈央は黙って聞くしかない。確かに、奈央もまた、ミーナさんと同じ思いを持っていたからだ。

「また奈央さんと一緒に仕事ができたら嬉しいわ」

黙ってふたりのやりとりを聞いていた里美が、身を乗り出した。

「ねえ、奈央さん、一緒にやりましょうよ。私も奈央さん向けの企画をたくさん考えてるの」

そこまで言われるのは光栄だが、そんなに簡単に頷くわけにはいかない。

当然、奈央の迷いを、ミーナさんはよくわかっているようだった。

「ごめんなさいね。急な話で気持ちも混乱するわよね。返事は急がなくていいの。まだ時間の余裕があるから、ゆっくり考えて。でも、いい返事を待ってるから」

ミーナさんのことは信頼している。読者モデルでしかなかった奈央に、ずいぶんと心を掛けてくれた。

正直なところ、確かに今の『ヴァニティ』は居心地が悪くなっている。ミーナさん卒業後、ちょっとすました、もっと言えばお高くとまっている印象がある。以前の『ヴァニティ』が懐かしい。それを考えると、またミーナさんと一緒に仕事をやりたいという思いが湧いてくる。

けれども、何と言っても『ヴァニティ』には育ててもらったという恩がある。ライバル誌となる『ジョワイユ』に移るなんて、義理にも人情にも欠けるのではないか。

迷いは続いていた。

家事をしていても、家族で食卓を囲んでいても、つい上の空になってしまう。伸行に相談してみようかとも思ったが、結局、奈央は何も言わなかった。

今、伸行の会社は不況で大変な状況だ。ただでさえ神経をすり減らしているのに、これ以上、心を煩わせたくない。

同時に、これは誰でもない、自分の問題なのだという自覚があった。選択も決断も、自分が引き受けなければならない。自分はもう、プロのモデルなのだ。

数日後に撮影があり、奈央はトモさんのメイクを受けていた。

ミーナさんのことを話していいものか迷っていると、トモさんの方から切り出した。

「聞いた？　ミーナさん『ジョワイユ』のエグゼクティブ・エディターに招かれたこと。最初聞いた時は、お飾りのポジションかと思ってたけど、実質的な編集長って言うじゃない。すごいことになっちゃったわよね」

「うん、私もびっくり」

「誘われた？」

鏡の中で、奈央はトモさんと目を合わせた。

「ううん……」

もちろん、トモさんはすぐに察したようだ。

「やっぱり誘われたんだ」

「でも、引き受けたわけじゃないから」

「迷ってるの？」

小さなため息と共に、奈央は頷く。

「正直言うと、そうなの」

「わたしも同じ」

「じゃあ、トモさんも？」

「声は掛けてもらった。そりゃあ、何にもないより嬉しいわよ。一種のスカウトなわけだから、私のメイクアップアーティストとしての腕を買ってくれてるってことだもの。でも、移籍となると、やっぱりね」

「そうね……」

「噂で、舞子さんもって聞いたけど」

「えっ、ほんとに」

「二年後に表紙モデルになる約束ができてるって、もっぱらの評判」

「そうなんだ……」

奈央にしたら複雑な気持ちだ。〝やっぱり舞子も〟と、〝どうして舞子もなの〟という思いが重なり合う。

「その他にも『ジョワイユ・メイト』ってことで、今から読者モデルを集めているらしい。そりゃあ、ミーナさんが実質的な編集長になるなら、その辺りは抜かりはないわよね。『ヴァニティ』でノウハウはみんなわかってるんだから」

その日の撮影も、活気がなかった。スタッフもモデルも、いつもと同じように振舞っているのに、どこか集中できないでいる。

不思議なものだと、奈央は思う。確かに部数は落ちているが、今も『ヴァニティ』がトップを争う人気女性誌であることに変わりはない。それでも、空気に影が差している。雰囲気も沈みがちだ。すべてがよくない方向に向かおうとしていることが、肌で感じられた。それに加えて、この中の誰かが『ジョワイユ』に引き抜かれているのではないか、そんな疑心暗鬼が互いを行き来していた。

『ヴァニティ』はこのままで大丈夫なのか。その不安を、奈央は初めて実感した。

撮影が終わり、スタジオを出たところで、声を掛けられた。

「奈央さん、少し時間あるかな」

振り向くと、南城編集長だった。

「お茶に付き合ってもらえると有り難いんだけど」

「はい」

南城編集長もいつもとは違っていた。穏やかな笑顔の隙間に、疲れのようなものが覗いていた。

何度か行ったことがあるティールームで、奈央は南城編集長と向き合った。

「レガシエは、その後どう？」

コーヒーカップを手にして、南城編集長が尋ねた。

「少しずつですけど、勉強してます」

「そうか、それはよかった。簡単に身に付くものじゃないだろうから、焦る必要はないけど、いつか誌面で紹介したいと思ってるから頑張って欲しいな」

「ありがとうございます。そう言っていただけると励みになります」

店には柔らかいピアノ曲が流れている。

「奈央さんは、ほんとに頑張り屋だね」

そう言って、南城編集長は目を細めた。

「とんでもないです。根が怠け者なので、南城編集長にアドバイスしてもらわなかったら、きっと何にも始めてなかったと思います」

「いや、僕が言わなかったとしても、いつか奈央さん自身で気づいたと思うよ」

それから、ふっと遠くを見るような目をした。

「読者モデルから始まって、奈央さんはどんどん変わっていった。綺麗になっただけじやなくて、強い意志が備わるようになった。でも、普通の奥さんの感覚も忘れずにちゃんと持っている。若い時からモデルを職業にしてきた人たちとはやっぱりどこか違うんだ。そのどこかの部分を忘れず持ち続けて欲しい」

面映い気持ちで、奈央は肩をすくめた。

「奈央さんには、ずっと『ヴァニティ』を支えていってもらいたい」

奈央のカップを持つ指が止まった。

「たぶん、ミーナさんから誘いがあったと思うんだ」

情報はすでに南城編集長にまで届いているようだ。奈央は黙ってコーヒーカップをテーブルに戻した。

「やっぱり、そうか」

「お会いして、お話を伺っただけです」

「移る気でいる？」

「いえ……」

言葉尻が曖昧になった。南城編集長は、ひとつ息を吐く。

「まさか、彼女と敵対する関係になるなんて思ってもいなかったよ。すでにうちのモデルやライター、カメラマンとスタイリストの何人かが引き抜かれてる」

奈央はどう答えていいかわからない。

「彼女には申し訳ないことをした。『ヴァニティ』卒業後は、彼女のために新雑誌を創刊するつもりでいたのに、いろんな事情でそれが叶わなくなってしまった。そのこともあって、彼女はモデルを辞める決心をしたんだと思う。その後、何か始めるとは思っていたけれど、自分のファッションブランドを立ち上げるとか、モデル事務所を開くとか、そういう方向になるだろうって思ってた。まさかエディターとはね。正直言って、彼女がそんな選択をするとは想像もしてなかった」

ふと、ミーナさんがそうなったのは、南城編集長への復讐なのではないかという思いが湧いた。ふたりが単なるモデルと編集長という間柄ではなかったことはわかっている。新雑誌を創刊できなかったことだけではなく、ミーナさんは南城編集長との、もっと別の未来を想像していたのかもしれない。ミーナさんはひとりに戻った。でも、南城編集長はそうはならなかった。大人の男と女なのだから、すべてが大団円を迎えるとは思っていないが、それを裏切りと解釈すれば、女を奮い立たす要因にもなるだろう。

「奈央さんは、今の『ヴァニティ』をどう思ってる？」

奈央は我に返った。

「正直に言ってくれていいんだ」

奈央は軽く息を吸い込んだ。

「『ヴァニティ』のよさはバランスだったと思うんです。憧れの部分と身近な部分。百万円するバッグの次のページに、三万円のノーブランドのお洒落なバッグが載っているというような。それでもぜんぜん違和感はありませんでした。それが、最近は手の届きそうもないものばかり。もちろん、本物を紹介するのも雑誌の大切な役割です。でも、そういうのばかりじゃ、見る人はため息だけで、自分には関係ないって終わるような気がするんです。ファッションページ以外にも、読み物ページが充実してたし、読者の投稿もたくさん載せていた。読者の方々と一緒に作っている雑誌という雰囲気でした。今は、それが欠けている気がします」

南城編集長は唇を結んだまま、黙って聞いている。

「すみません、生意気言って」

「いや、いいんだ。ナマの声を聞かせてもらったという気がしてるよ。確かに、リニューアルということもあって、女性誌としてランクアップしたいという思いが強かった。それが裏目に出て、読者の期待を裏切っていたのかもしれない。『ヴァニティ』の根本的なところに、もう一度、立ち戻る必要がありそうだ」

それから、南城編集長はようやく表情を和らげた。

「近々、役員を交えての会議が行われることになってる。今の奈央さんの意見を参考にして、もう一度『ヴァニティ』の立て直しを提案することにしよう」

大したことではないが、もし自分の言葉が南城編集長の役に立てたのだとしたら、奈央はそれだけで嬉しかった。


それから一週間ほどして、撮影のためにスタジオに入ると、いつもとまったく違う騒然とした雰囲気に包まれていた。

奈央に気がついたトモさんが、慌てて駆け寄ってきた。

「大変よ、大変」

トモさんらしくもなく、声が上擦っている。

「何かあったの？」

「南城編集長が――」

「え？」

「編集長を降ろされたの」

何を言っているのか、一瞬、理解できなかった。

「降ろされたって……」

「資料室に異動になったのよ。昨日の会議で決まったんだって。これって明らかに左遷よね」

驚きのあまり、奈央は声も出せずに立ち尽くした。

23

会社という組織がどういうものであるかぐらい、奈央にだってわかる。この不況の時代、左遷などめずらしいことではないだろう。

それでも、南城編集長の資料室への異動は『ヴァニティ』に関わるすべての人間に、大きな衝撃を与えた。

何より『ヴァニティ』がそこまで苦しい状況にあることを、改めて思い知らされることになった。何だかんだ言っても実績があるから大丈夫。『ヴァニティ』の部数が落ちるということは他の女性誌も落ちているのだから、結局トップの座は変わらない。などと、どこか呑気に考えていた。しかし、もうそんな悠長なことは言っていられないらしい。ましてや、追い討ちをかけるように、ミーナさんがプロデュースする『ジョワイユ』の創刊である。上層部サイドが危機感を募らせるのも無理はないのだろう。

「後任は、元の副編の石田さんだって」

トモさんが言った。石田は、亜由子の写真ばら撒き事件の責任を取って、しばらく別の部署に異動していたが、今回、復帰したのだという。

「石田さんなら『ヴァニティ』にも慣れてるし、安心は安心だけど、やっぱり南城さんの後任としては物足りない感じよね」

「そうね」

「で、あなたはどうするつもり？」

「何が？」

「とぼけないの、ミーナさんの誘い、受けるの？　受けないの？」

「ああ、それ……」

奈央は黙る。正直を言えば、迷いはますます深まっている。南城編集長というよき理解者がいてくれてこそ、『ヴァニティ』で頑張ろうという気にもなるが、そうでないなら、いっそ新しい場所で可能性を試した方がいいのかもしれないとも思える。

「まだ、何も考えてない」

今の奈央には、そう答えるのが精一杯だった。

引き継ぎは一週間ほどだという。たった一週間、という気もするが、出版社に限らず、会社というのはだいたいその程度の期間で済ませてしまうらしい。

もしかしたら、このまま顔を合わすこともないのかもしれない、そんな思いでいたのだが、特集ページの撮影が終了したスタジオに、南城編集長が現れた。

一瞬、モデルやカメラマン、スタッフたちからざわりと驚きの声が上がった。左遷されたとわかっているだけに、どんな対応をしていいかわからない。そんな雰囲気を察してか、南城編集長は穏やかな笑顔で近づいて来た。

「お疲れさま」

その様子はいつもと少しも変わらず、異動の話は間違いではないかと思えるほどだ。

それでも、次に続く言葉に周りは黙り込んだ。

「みなさん、長い間、僕を支えてくれてありがとう。心から感謝しています。石田編集長にバトンタッチしますが、これからも『ヴァニティ』のために、どうぞ力を貸してやってください。よろしくお願いします」

南城編集長が頭を下げる。周りはシンとしている。どう応えていいのか、誰もが戸惑っている。そんな状況を払拭するかのように、南城編集長が苦笑した。

「どうしたんだ、みんな、そんな辛気臭い顔をして。『ヴァニティ』は夢を売る雑誌だよ。もっと明るい顔をしてくれなきゃ」

「みんな、納得してないんですよ」

声を上げたのは古参のカメラマンである。

「南城さんあっての『ヴァニティ』なのに、ちょっと売上げが落ちたからって、すぐさま南城さんを異動させるっていうのは、おかしいんじゃないかって」

「すべての責任は僕にある。編集長とはそういう立場にある」

「でも……」

「みんなは、どう思っているか知らないが、僕自身は悪い方には考えていない。資料室というのは、編集者として一度は経験しておくべき部署だ。ジャンルを問わず、さまざまな勉強ができるからね。つまり、いいチャンスを与えられたってことなんだ。僕は楽しみにしてるよ」

「そうですか……」と、答えたものの、古参のカメラマンはやはり納得がいかないようだ。

「だったら、せめて送別会を開かせてもらえませんか。長い間、一緒に頑張ってきたんだし、それくらい」

「おいおい、僕は何も会社を辞めるわけじゃないんだ。そんな気遣いは無用だよ。さあ、撮影も終了したことだし、撤収にかかってくれ。次号の撮影もよろしく頼むよ」

南城編集長は、現れた時と同じ穏やかな笑みを浮かべて、スタジオから出て行った。

声にならないため息が広がり、やがてカメラマンは機材を片付け始めた。それに続いて、スタイリストやヘアメイクも、それぞれの場に戻ってゆく。奈央たちモデルも、控え室に入った。

「南城さん、さすが、強いよね」

着替えながら、モデルのひとりが言った。

「ほんと、もっと打ちひしがれているかと思った」

「これならそう遠くないうちに、現場に戻ってくるんじゃない。石田さんだって、早々に復帰なんだから」

「そうよね。だからきっと、あんなに落ち着いていられるのよ」

その意見には奈央も納得できる。今回は、責任を取るような形で異動になってしまったが、やはり南城編集長あってこその『ヴァニティ』だ。誰もがそれを望んでいる。

スタジオを出て、地下鉄の駅に向かう途中、奈央はピアスを忘れてきたことに気づいた。着替えの時、そのまま置いてきてしまったようだ。踵を返し、スタジオに戻った。

ロッカーに残されたピアスを手にして、控え室を出たところで、奈央は何の気なしにスタジオに目をやった。スタッフたちがみな帰ってしまい、がらんとした中に、ぽつんと人影が見えた。

南城編集長だった。こちらに背を向け、立ち尽くしている。その背がひどく小さく見えて、思わず胸を衝かれた。

南城編集長は強い。みんなはそう思っているし、奈央も同じだった。けれど、そうではないことを、その背中が物語っている。

声を掛けてはいけないのかもしれない。何も見なかったことにして、このまま帰ってしまった方がよいのかもしれない。しかし、奈央にはできなかった。南城編集長が、まるで教室に居残りさせられた少年のように頼りなげだったからだ。

「南城編集長」

気がつくと、声を掛けていた。驚いたように振り返った南城編集長は、そこに奈央の姿を認め、何度か瞬きした。

「どうしたんだ」

「ちょっと忘れ物をして」

「ああ、そう」

「あの」

「うん？」

「あの、これからちょっと付き合ってもらえませんか」

「付き合うって、何を？」

「お酒です」

南城編集長は困惑したように答えた。

「言っただろう、気遣いは無用だって」

「私が飲みたいんです」

「え？」

「南城編集長は納得しているかもしれませんが、私は納得できません。どうして『ヴァニティ』からはずされなければならないのか、すごく腹が立ってるんです」

南城編集長は黙った。

「だから、やけ酒を飲みたいんです。お願いです、付き合ってください」

もしかしたら、奈央の思いなど、見透かされているかもしれない。南城編集長は少し迷ったように返事を躊躇していたが、やがて頷いた。

「そうだな、じゃあ、ちょっと飲もうか」

午後四時半という中途半端な時間ということもあり、ふたりで銀座のホテルのラウンジバーに入った。

「家はいいの？」

「大丈夫です」

さっき、洗面所に行った時、伸行と智樹にメールを打っておいた。〈急な撮影が入って遅くなります。夕食、ごめんなさい。コンビニで何か買って食べてください〉。こんな嘘をつくのは初めてだ。

南城編集長はスコッチのダブルの水割りを、奈央は軽いカクテルを飲んでいる。まだ早い時間のせいか、客は少ない。大きな硝子窓全体が夕暮れ色に染まっている。

自分から誘っておきながら、何を話していいのかわからず、奈央は居心地の悪い思いを持て余していた。

「そのカクテルじゃ、やけ酒って感じじゃないね」

南城編集長が笑う。奈央は首をすくめた。

「ほんとですね」

「わかってるよ。ありがとう、僕を慰めてくれるつもりだったんだろう」

「そんなこと」

「何を言おうと、周りには強がりにしか取られないだろうな」

「みんな言ってました。そう遠くないうちに現場復帰になるに違いないって。いろいろあっても、やっぱり『ヴァニティ』には南城編集長が必要なんですから」

「それは、ないよ」

南城編集長はあっさり首を横に振った。

「コースはもう決まっている。半年、資料室に在籍して、その後は子会社に出向だ」

「まさか……」

「役員の中には、僕を疎ましく思っている人間もいてね。僕も『ヴァニティ』が伸び盛りの時、少し強気になり過ぎていたところがあって、上の者といろいろ衝突した。組織というのは突出した者を嫌うからね」

南城編集長はウェイターに合図を送り、同じものを注文した。

「私もそれをお願いします」

「おいおい、強いよ」

「いいんです。やけ酒なんですから」

やがて、グラスが運ばれて来て、それを手にした南城編集長は尋ねた。

「それで、奈央さんは『ジョワイユ』に移るつもりなのかな」

「いえ、それはまだ……」

「前にも言ったけれど、奈央さんにはずっと『ヴァニティ』を支えていってもらいたい」

「私もそう思ってました。私をモデルに育ててくれた雑誌ですから。でも、それは南城編集長がいてくれてこその気持ちなんです。今は、何だか、知らない雑誌のような気がしています」

「雑誌というのは生き物だ。時代と同じく、たえず変化していくし、そうでなければ成り立たない。それに順応してゆくのも、モデルの大切な仕事だよ」

「わかっています」

「だったら」

「でも、嫌なんです。南城編集長がいない『ヴァニティ』なんて」

一瞬、南城編集長は言葉を詰まらせた。それから、不意に顔をそむけ、窓の外に目をやった。

「ありがとう、嬉しいよ」

その唇が、かすかに震えている。南城編集長が涙ぐんでいるように見えて、奈央の胸は締め付けられた。

本当は、ひどく傷ついている。失望に押し潰されそうになっている。『ヴァニティ』

から離れたくない。その思いは、誰よりも南城編集長が強く持っているはずだ。

「さあ、そろそろ帰ろう。あんまり遅くなると、ご主人や息子さんが心配するよ」

南城編集長は、雰囲気を一掃するかのように明るく言った。

「異動されても、時々は『ヴァニティ』に顔を出してくれますか？」

「いや、それはない。それが去りゆく者のルールだ。もう、奈央さんと会うこともないだろう」

「そんな……」

「それでいいんだ」

感情が高揚してゆく自分を感じた。ダブルの水割りに酔っている。でもそれだけではない何かが、奈央を動かそうとしている。

この人を守りたい。この人を抱き締めたい。今、私にできることは何でもしてあげたい。

ずっと抑えてきた感情だった。長く自分を誤魔化してきた。そして、それは最後まで押し通さなければならない気持ちであることも知っていた。

私は南城編集長に惹かれている。

いつから、なんてわからない。ハワイでミーナさんとのキスを見た時から、撮影で伸行の代わりをしてくれた時から、それとも面接で初めて会った時から。その南城編集長と、もう二度と会えない。その現実が、奈央を追い詰める。

「さあ、帰ろう」

南城編集長が促した。

「私、今からとても馬鹿なことを言います」

「え？」

「目を瞑《つむ》って言います。それを聞いて、受け入れてもらえないなら、席を立って先に帰ってください」

「どうしたの」

奈央は目を閉じ、息を吸い込んだ。

「私、帰りたくありません。南城編集長と、ふたりになりたい……」

ラウンジに漂うように流れる、低いトーンのジャズが耳に流れ込んでくる。息が苦しく、指先が冷たくなってゆく。どれくらい目を瞑っていただろう。ひとつ息を吐き、ゆっくり目を開けると、そこに姿があった。

「僕はもう、編集長じゃないよ」

自分が何をしているか、奈央は考えることをやめた。妻であることも母であることも、今は忘れることにした。

ここにいるのは、ひとりの女。そして、ひとりの男。それ以外、何ものでもない生き物。

南城の力強い腕が、自分のすべてを包み込む。触れ合う南城の躰は熱く、奈央はそれだけで息が苦しくなる。吐息と唾液が、嗚咽にも似た声と混ざり合い、ベッドの上で溶けてゆく。南城の堅く締まった躰の下で、奈央の肌がそれに合わせて形を変えてゆく。まるで、躰そのものがとろとろと溶けてゆくようだ。南城の唇が、耳を、首筋を、乳首を捉える。南城の指が、足の付け根に滑り込んでくる。奈央は我慢できなくて、思わず泣きそうになる。けれども涙は目からではなく、南城の触れている場所から溢れ出ている。南城が膝を割り、その中に躰を沈み込ませる。やがて、固く尖った男の意志そのものが、奈央の躰を貫いてゆく。

頭の中が白くなる。どこか遠くに連れ去られるような感覚に陥る。現実ではない、はるか遠い世界――。

そう、これは夢なのだ。奈央は納得する。明日になれば、何もなかったことになる夢。夢の中では、自分の深いところにある、自分さえ気づかなかった魂が目を覚ます。それは誰にも止められない。奈央自身にも止められない。

けれども、夢から目醒めた時、罰が下されることもわかっている。秘密という、一生開けてはならないパンドラの箱を持たされることになるのだから。

24

それから一週間後、青山のカフェで、奈央はミーナさんと向き合っていた。

「期待に沿えず、申し訳ありません」

奈央が頭を下げると、「そう、残念だわ」と、ミーナさんは静かにラテのカップをテーブルに戻した。

「でも、本当にそれでいいのかしら。南城さんが左遷されて、これから『ヴァニティ』はどうなるかわからない。先月号の売上げでは、とうとう三位にまで落ちたわね。それじゃ広告を取るのも難しくなるでしょう。こんな状態が続けば、もしかしたら休刊ってことにもなりかねない。それでも残るつもり？」

「はい」

もちろん、奈央にもさまざまな迷いがあった。考えに考え抜いて出した結論である。

その理由をひと言で言えば、それが自分なりの「仁義」だと思ったからだ。もし『ヴァニティ』が、今もトップを走る雑誌であったら、考えは違っていたかもしれない。こんな大変な時だからこそ、自分にできることをしたいと思う。もしかしたらマイナスの選択になるかもしれないが、時には、損も引き受けられる自分でありたいと思う。

「どうやら、決心は揺るがなさそうね」

「声を掛けていただいて、本当に嬉しかったです」

ミーナさんが、わずかに口元を緩めた。

「何だか、奈央さん、感じが変わったわ」

「そうですか？」

「綺麗になった」

「まさか」

どぎまぎして、思わず目を伏せる。

「そして、強くなった。もっと言えば、プロの顔になった」

奈央はゆっくりと顔を上げた。

「ありがとうございます。みんな、ミーナさんに教えていただきました」

「そうね、前にも言ったけれど、あなたと私はどこか似ているところがあるから」

「光栄です」

「これからはライバルね」

「はい」

「この世界は、よきライバルがあってこそ、お互いが伸びてゆくの。私は決して『ヴァニティ』がつぶれて欲しいと思ってるわけじゃないのよ。前のようにトップの座に返り咲くことを祈ってる」

「私も、これからもずっと、ミーナさんにライバルと呼ばれるよう頑張ります」

「じゃあ、これで。元気でね」

ミーナさんが席を立ち、ドアに向かって歩いてゆく。美しい後ろ姿は少しも変わらない。その姿に憧れ、少しでも近づきたくて、今まで夢中でやってきた。

でも、今は違う。ミーナさんの背を追いかけるのではなく、真正面から向かい合ってゆきたいと思う。そうすることが『ヴァニティ』の専属モデルとしての使命なのだと、奈央は改めて感じていた。


「えっ、断ったの、どうして！」

と、トモさんは目を丸くした。

「理由はうまく言えない。ただ、今は『ヴァニティ』でモデルを続けてゆきたいと思ったの」

「へえ……」

それから、ふいに表情を崩した。

「なかなか男前じゃない。最近の売上げ低迷で見切りをつけて、あっちに行っちゃうモデルとかカメラマンも結構いるのに」

「トモさんはどうするの？」

「私も残ることにした」

「トモさんこそ、それでいいの？」

「そりゃあ、いろいろ考えたわよ。でもね、私はやっぱり『ヴァニティ』が好きなの。このメイク室もスタジオも、もう私の生活の一部になってるのよ。それにさ、もう一度、かつての隆盛を取り戻してやるって意地もあるのよね。あっちに行っちゃう奴らを見返してやりたい」

「ふふ、トモさんらしい」

「じゃあ、これからもよろしくってことで」

「こちらこそ、よろしく」

内心、どれだけホッとしただろう。これでトモさんまでいなくなったら、心細くてしょうがなかった。

今日の撮影は舞子と一緒である。

スタジオ入りしたが、まだ少し時間があり、隅の椅子に座って待っていると、舞子が現れた。いろいろあっても、後輩の礼儀として、奈央は立ち上がって丁寧に挨拶する。

「おはようございます」

舞子は奈央を一瞥《いちべつ》しただけで、カメラマンに声を掛けた。

「すぐ始められる？」

「すみません、もう十分ほど待ってもらえますか」

「しょうがないわねえ」

舞子は仕方なさそうに、奈央の隣の椅子に腰を下ろした。

ふたりの間に気まずい空気が横たわる。だからと言って、おどおどするつもりはない。

舞子は確かに先輩だが、モデルという立場では対等である。

「あなた、移るんじゃなかったの？」

不意に言われて、奈央は顔を向けた。

「ミーナさんの新雑誌よ。あなた、ミーナさんと仲がよかったでしょう。当然、後を追い掛けると思ったんだけど」

「いいえ、私はここで続けます」

「無理することないじゃない、こんな大変な状況の『ヴァニティ』より、ミーナさんのところに行った方が、よほどいいページがもらえるわよ」

「舞子さんこそ、移らないんですか」

奈央は言い返した。

「私？」

「舞子さんに声が掛かっていることは、みんな知ってます。あちらの雑誌なら、念願の表紙を飾ることができるんじゃないですか」

「馬鹿ね」

舞子は呆れたように、鼻で笑った。

「確かに、ミーナさんからは表紙の話も出たけど、『ヴァニティ』のイメージが定着している私を、そうそう『ジョワイユ』の顔にできるわけがないじゃない。あれはミーナさんの作戦。要するに、『ヴァニティ』にダメージを与えるため、表紙という餌で私を釣ろうとしたのよ」

「まさか」

「何が、まさかなの？」

「ミーナさん、言ってました。『ヴァニティ』にはトップに返り咲いてもらいたいって」

舞子が笑った。

「あなたって、本当に何もわかっちゃいないのね。だから素人は困るのよ」

本人も自覚してわざとやっているのだろうが、舞子はいちいち気に障《さわ》る言い方をする。

「ミーナさんはもうモデルじゃないの、エグゼクティブ・エディター、つまり責任を負わされてる編集長なのよ。売上げ次第では、クビが飛ぶかもしれない。南城さんがそうなったようにね。そんな厳しい中にいて、『ヴァニティ』にトップの座に戻ってもらいたいなんて、本気で思うわけないじゃない。何が何でも自分の雑誌をトップに持ってゆく、それしか考えていない。当たり前でしょ」

ミーナさんはそんな人じゃない、と言おうとしたが、言葉にはならなかった。それほど、舞子の言葉には説得力があった。自分はミーナさんに対して、勝手な幻想を抱いていたのだろうか。この競争の激しい世界で生きることの現実を、自分は知らないだけなのだろうか。

「それに、ここでミーナさんのところに移ったら、周りに何て言われるか。表紙になれなかったから逃げ出したってことになる。そんなの、負け犬じゃない。私は、必ず『ヴァニティ』の表紙になるの。あんな、ただ有名歌舞伎役者の奥さんだっていうだけの女に、いつまでも大きい顔をされてたまるもんですか」

その時、カメラマンから声が掛かった。

「お待たせしました。舞子さん、スタンバイお願いします」

「はーい」

舞子が席を立ってゆく。

不思議なことに、奈央は少しも不愉快な気持ちではなかった。舞子の言葉には皮肉と辛辣さはあるが、そこに舞子なりの「仁義」が見えたからだ。結局は『ヴァニティ』を再生したいという願いの表れなのだと、舞子に対して、初めて素直な気持ちを持っていた。

最近、再び料理に凝っている。

少し太り始めた伸行のために、部活を頑張っている智樹のために、出来合いやインスタントものは極力避け、栄養のバランスの取れたものを食卓に出すよう心掛けている。

今夜のメニューは、子持ち鰈《かれい》と野菜の煮付け、小海老のフリッター、かぼちゃサラダとあさりの味噌汁、雑穀入り五目ごはんである。野菜は、無農薬のものを、わざわざインターネットで取り寄せた。

一時期、面倒だと思っていた家事も、最近は楽しもうと前向きに考えている。レガシエを意識し始めたせいもあるが、それだけじゃない。

自分にとって、いちばん大切なものは何なのか、改めてわかったからだ。家族の存在があってこそ、モデルの仕事も頑張れる。自分にとって、家族はなくてはならない存在であることを、再認識した。

そして、もうひとつ、わかったことがある。たとえ夫婦でも、親子でも、人生はそれぞれにある、ということだ。

今更何を言っているのか、と笑われるかもしれない。奈央も頭ではわかっているつもりだった。それでもどこかで、何でも話し合い、理解し合い、隠し事のない家族こそが、理想の形と思い込んでいたように思う。

でも今、秘密というパンドラの箱を抱えたからこそわかる。

家族であっても、それぞれに考えがあり、感じ方があり、心がある。それを認め合いながら、時には胸の奥にしまい込みながら、あるいは見て見ぬふりを通しながら、それでも家族として生きてゆきたいと願う気持ちを、きっと絆と呼ぶのではないか。

私は家族を守りたい。それは同時に、私は家族に守られているということだ。

食卓に食器を並べながら、奈央は時計に目をやった。もうそろそろ、伸行と智樹が帰ってくる。残業がカットされて、給料は下がってしまったが、その分、家族で食卓を囲む機会が多くなった。不景気も、悪いことばかりではないらしい。奈央は、ガスに火を点《つ》け、味噌汁を温め直し始めた。


数日後、再び、スタジオにいた。

『旬は、かわいいとかっこいいの間』というテーマの撮影である。

撮影までに少し時間があり、奈央はいつものように隅の椅子に腰を下ろしていた。

ふと、ポーチの中で携帯電話が震えているのに気がつき、それを取り出し、液晶画面に浮かんだ名前を見て驚いた。

文香だったからだ。『ヴァニティ』の読者モデルに落ちてから、文香とは絶縁状態が続いていた。奈央は電話を手にしたまま、スタジオから廊下に出た。

「もしもし」

「久しぶり、元気にしてた？」

「おかげさまで……」

「あのね、いちおう報告だけはしておこうと思って」

いきなり、文香は言った。

「私ね、今度『ジョワイユ』でモデルをすることになったの」

「え……」

「知ってるでしょう、ミーナさんがエグゼクティブ・エディターとして創刊する新女性誌の『ジョワイユ』よ」

「え、ええ……」

「この間、ミーナさんから直接連絡をもらったの。突然でびっくりしたんだけど、ミーナさん曰く、『ヴァニティ』に応募した時から、私のこと買ってくれてたんですって。それで、エントリー用紙の連絡先を覚えていてくれたらしいのね。ミーナさん、言ったわ。あなたは『ヴァニティ』向きじゃなくて『ジョワイユ』向きだから、ぜひ、力を貸してくれないかって」

ミーナさんはずいぶんと手を広げているらしい。

いや、それより、あの時、文香は言ったではないか。読者モデルなんて、ちゃんとした家の主婦がやることじゃない。下品そのものだ、と。それで軽蔑したように、モデルを引き受けた奈央に向かって、後悔しても知らないから、と捨て台詞を吐いたではないか。

奈央が黙っていると、予め用意していたように、文香は言葉を続けた。

「最初は断ったのよ。でも、ミーナさんからそこまで言われたら、断るのも申し訳ないじゃない。それで、しぶしぶ引き受けることにしたの。言っておくけど、『ヴァニティ』の時のような、読者モデルとは違うから。ジョワイユ・メイトといって、最初からプロに近い仕事をさせてもらえることになってるの。まあ、急にこういうことになって、私も驚いているんだけど、とりあえず、奈央にだけは報告しておこうと思って」

「そう、頑張ってね」

さらりと奈央は答えた。文香の強がりが、手に取るようにわかっていた。あの時の屈辱を、晴らした気分でいるのだろう。でも、文香は何もわかってはいない。最初からプロに近い仕事をさせてもらえるなんて、そんなことはありえない。ミーナさんが何と言ったか知らないが、現実はそんなに甘くない。

「これから、奈央とはライバルね」

「そうね」

「負けないから、私」

そう言われて、奈央は小さく、けれども文香にはっきり聞こえるよう、笑った。

「どうぞ、お手柔らかに」

文香はすぐに馬鹿にされたと察したらしい。

「そんな余裕の発言、いつまでできるかしら。『ヴァニティ』、大変なんでしょ」

「どうぞご心配なく。『ヴァニティ』は地盤がしっかりしてるから、簡単にどうにかなんてなるわけないから。それより、そちらの方を心配したら。『ヴァニティ』の二番煎じで、読者にどこまで支持されるかしら」

「そのこと、ミーナさんに言ってもいいの?」

「どうぞ、お好きに」

電話を切って、奈央は自分の胸の中に、熱く燃え上がるものを感じた。

負けたくない。

文香にはもちろん、ミーナさんにも、舞子にも。

初めて味わう、自分でも驚くような、強い思いだった。

それを情熱と呼ぼうか、闘争心と捉えようか、意地として受け入れるか。でも、どれでも同じことだ。

絶対に負けたくない。

「奈央さん、スタンバイ、お願いします」

カメラマンのアシスタントが呼びに来た。

「今、行きます」

奈央は背筋を伸ばし、スタジオへと向かった。ホリゾントの前に立ち、ライトが向けられる。

「じゃ、始めます」

カメラマンがシャッターを押す。奈央は笑顔を作り、ポーズを取る。ワンカットごとに、少しずつ表情や身体の向きを変える。かつて、ぎこちなく立ち尽くすしかなかった自分を思い出し、そして、気がつく。いつの間にか、私はこの瞬間がこんなにも好きになっている。

白くまぶしいフラッシュの中に、自分が溶け込んでゆくのを感じながら、奈央はいっそうの笑みを作った。

解説

吉田伸子《よしだのぶこ》
（書評家）

「あたしはあたし、人は人」

これは、私が敬愛する詩人、伊藤比呂美《いとうひろみ》さんの『女の絶望』に出てくる言葉である。『女の絶望』は、生きとし生ける全ての女にとって、「活字の駆け込み寺」とでもいうべき名著だと思っているのだが、中でも冒頭の言葉は、まさに至言である。

言葉にすればシンプルなことなのに、これ、本当に本当に難しいことだ。とりわけ、女どうしが、お互いに「あたしはあたし、人は人」という距離感をもって付き合うのは。

例えば、自分の夫が会社でリストラされハローワークに通っているとする。そんな時、一流企業の出世コースを歩んでいる夫のいる友人からランチの誘いがあったとしたら。例えば、自分の子どもと友人の子どもが、同じ小学校をお受験して、自分の子どもがその学校に落ち、友人の子どもが合格したとしたら。例えば、自分が加齢によるシミ、シワで悩んでいる時に、友人が金に糸目をつけずに整形して、まるで二十代のような若々しい容姿になったとしたら。

何で私の夫が？　何でうちの子が？　何で私が？

そんなふうに思ってしまうのはしょうがない。でも、そうやって思っていたって、何も変わらない。なら、駄目もとで「あたしはあたし、人は人」と、おまじないのようにつぶやいてみるといい。いつか、そのおまじないは、きっと効くから。気が付くと、つぶやかなくても、自然とそう思える自分がいるから。それと同時に、ぜひ本書を！　本書は、主人公の奈央《なお》が、「あたしはあたし、人は人」と思えるまでの物語でもあるからだ。

物語は、永代橋《えいたいばし》にほど近い高層マンションの三十二階の自宅で、奈央が優雅にフレーバーティーを飲む場面から始まる。七〇平米の２ＬＤＫに、夫と息子の三人で暮らす三十八歳の奈央。三歳年上の夫は大手自動車メーカーのエンジニア。一人息子は春から私立中学に通う十三歳。傍目《はため》からは何不自由ないどころか、絵に描いたような「勝ち組」に映る奈央。自身も穏やかな「幸せ」を実感する日々だったが、大学の同窓会で十五年ぶりに再会した文香《あやか》からお茶に誘われ、アラフォーをターゲットにした女性誌『ヴァニティ』の読者モデルに一緒に応募することを持ちかけられたことから、その幸せな日々が変化していく。

唯川さんの物語は、どの物語もディテイルが抜群に巧《うま》い。読んでいて、膝を打ちたくなるほどだ。本書も、文香が奈央を応募に誘うシーンが、何とも秀逸。自分たちは最終的に三つのグループに分かれてしまったのだ、と文香は言う。「私や奈央みたいな専業主婦組と、共働き組と、独身組」と。独身組から「自分の欲しいものを買うにも、いちいちダンナさまからお金を貰うなんて、私にはとてもできない」と言われた、と文香は憤慨する。さらに、文香は共働き組から、こうも言われた、と続ける。「社会に繋がってなくて不安じゃない？　って」。

独身組、共働き組、この双方の台詞のリアルなこと！　それに対する文香の、「それってただの格好つけよね。結局のところは経済的な問題に決まってる」という返しも！　私自身は共働き組であるけれど、フリーで、主に自宅で仕事をしているため、働く女の気持も専業主婦の気持も、どちらも分かる。こういう女どうしの微妙な心理、あるんですよ、実際に。どちらも自分の立ち位置にどこか負い目があるから、なのだけれど、そういう辺りの描写をさらりと描いているあたり、唯川さんは本当に巧い。

さらに巧いのは、文香に誘われ、それほど気乗りしないままに応募した奈央が、いざ読者モデルに選ばれた時の文香の反応だ。「私、お断りしたの」と。「読者モデルなんて、ちゃんとした家の主婦がやることじゃないもの」と。最初は面白そうと思ったけれど

「よく考えてみたら下品そのものだって気がついたの」と。いるよねぇ、こういう女、と読者には自分の知っている、文香によく似た女の顔が浮かぶ場面だと思う。

　この冒頭の摑みがあるから、読者はすうっと物語に入り込める。「恵まれた奥様」が「読者モデル」になって華やかに活躍するだけの物語ではないんだろうな、と自然と胸に落ちてくるのだ。

　右も左もわからないままに、読者モデルとなった奈央を待ち受けていたのは、表面上はにこにこと取り繕ってはいるが、その実、隙あらば仲間を蹴落とそうとしたり、少しでも相手より有利な立場に立とうとする打算だったり、というモデルどうし間でのシビアな現実だった。

　おまけに、奈央と同時に読者モデルに採用されたのは、片や読者モデルになる以前から、ファッション系パーティのスナップ写真では常連の、容姿、スタイルともに抜群の葵《あおい》と、外科医を夫に持つ見るからに裕福なお嬢様然とした亜由子《あゆこ》。お洋服にしろ小物にしろ、明らかに葵と亜由子のランクからは数段落ちる奈央の立ち位置は、誰から見ても三番手だったのだが……。

　最初は、楽で華やかなパート、ぐらいの意識だった奈央が、徐々に読者モデルとしての自覚を持っていく様が丁寧に描かれているのがいい。どうせ自分は葵と亜由子のようにはなれない、そんな自分が何かを主張するのはおこがましい、と自分を抑えて編集部の要求に応えていた奈央が、仕事を続けるうちに、自分なりのスタンスを確立していくのがいいのだ。

それは、私なんかと、葵や亜由子と自分を比べていた奈央が、私は私なのだ、と気付いていく過程でもある。誰かと比べるから、自分が劣っている点ばかりに目が向いてしまうのだ。自分に自信が持てなくなってしまうのだ。そうではなくて、自分は自分だと背筋を伸ばすこと（開き直る、のではない）で、奈央は自分の道を見つけ出す。そして、そのことこそが、奈央を読者モデルから専属モデルへとステップアップさせることに繋がっていく。

そんな奈央の強い味方となるのが、ヘアメイクを担当するトモだ。オネエであるトモの言葉は、時に辛辣《しんらつ》に、時に優しく奈央を導いていく。最初に奈央を一目見て、トモが出したオーダーは、「まずは五キロ痩せなさい」だった。極端な食事制限をして、何とか期限内に五キロ体重を落とした奈央だったが、「そんな無謀なダイエットはガキがするものよ。あなた、自分を幾つだと思ってるの？」と一蹴する。その後に、「とにかく食べなきゃ駄目よ。特に良質のたんぱく質と食物繊維を摂らなくちゃ」と。そして、食べた分は運動すればいい、ジムとかに通わなくても、毎日二時間程度ウォーキングすればいいのだ、と正しいダイエット法を伝授する（ちなみに、本書に出てくる、美容関係に関するトモの言葉は、奈央のみならず、アラフォー女子には大変ためになります）。

他にも、本書では女性誌の誌面作りの舞台裏がつぶさに描かれていて、そちらも読み応えたっぷり。とりわけ、『ヴァニティ』で特集される企画、『この夏、ヘビーローテーション間違いなしの服』、『こっそり見ちゃう、お友達バッグの中身』、『運命のデニムを探す』、『主婦こそ必要、ONの私とOFFの私』などは、そのまま実際の女性誌で取り上げられてもおかしくないどころか、「あるある感」満載。女性誌のコアな読者なら、思わずにやりとしてしまうだろう。

さらには、アラフォー世代の女性心理を熟知している、唯川さんならではの的確な描写が細部にちりばめられていて、これがまた読ませる。若い頃は、男性の目にどう映るか、が「綺麗」の基準であったのに対して、三十代後半の女にとっては、同世代の女性の目のほうが気になる、というくだりには、読んでいて、ぶんぶんと頷いてしまった。

また、奈央が仕事に目覚め、家事との両立に苦労する辺りの描写も、巧い。夫である伸行《のぶゆき》の機嫌を損なわないように、奈央が気を配るシーンなど、ごくささいな箇所なのだけど、そこをきっちり描いているからこそ、奈央というキャラクタ、ひいては物語そのものの厚みが出ているのだ。

ここでは書かないが、とある男性へ向ける、奈央の揺れる想いも描かれていて、そちらはぜひ、実際に本書を読んで味わっていただきたい。

最後に、タイトルのセシルについて。セシルとは、フランソワーズ・サガンの小説『悲しみよこんにちは』の主人公セシルのことだ。トモいわく、「可愛い顔をしながら、とんでもないもくろみを持った女の子だった」彼女こそ、女そのもの、女の象徴なのよ、と。「女はみんな、心の中にセシルが棲《す》んでるの」と。トモのこの言葉は、唯川さんが読者へ向けた言葉でもあるだろう。そこには、心の裡《うち》にもくろみを持つことを一概に否定するのではなく、むしろ、ほどほどのもくろみは女の人生の彩りよ、ぐらいに肯定している唯川さんがいるように思う。

世のセシルたちに、乾杯！　読後、そんな唯川さんの声が聞こえて来そうである。

初出　「ＳＴＯＲＹ」（小社刊）二〇〇八年二月号〜二〇一〇年一月号
二〇一〇年二月　光文社刊

光文社文庫

セシルのもくろみ

著 者 唯《ゆい》 川《かわ》 恵《けい》

2013年4月20日 初版1刷発行

発行者 駒 井 稔
印 刷 萩 原 印 刷
製 本 ナショナル製本

発行所 株式会社 光 文 社
〒112-8011 東京都文京区音羽1-16-6
電話 (03)5395-8149 編 集 部
8113 書籍販売部
8125 業 務 部

ISBN978-4-334-76553-8 Printed in Japan

組版 萩原印刷

お願い　光文社文庫をお読みになって、いかがでございましたか。「読後の感想」を編集部あてに、ぜひお送りください。
このほか光文社文庫では、どんな本をお読みになりましたか。これから、どういう本をご希望ですか。どの本も、誤植がないようつとめていますが、もしお気づきの点がございましたら、お教えください。ご職業、ご年齢などもお書きそえいただければ幸いです。当社の規定により本来の目的以外に使用せず、大切に扱わせていただきます。

光文社文庫編集部